BUSKERS 21ST CENTUI

CW00429946

WISE PUBLICATIONS
LONDON / NEW YORK / PARIS / SYDNEY /
COPENHAGEN / BERLIN / MADRID / TOKYO

EXCLUSIVE DISTRIBUTORS:
MUSIC SALES LIMITED
8/9 FRITH STREET, LONDON W1D 3JB,
ENGLAND.
MUSIC SALES PTY LIMITED
120 ROTHSCHILD AVENUE, ROSEBERY,
NSW 2018, AUSTRALIA.

ORDER NO. AM976833
ISBN 0-7119-0-7119-9875-2
THIS BOOK © COPYRIGHT 2003
BY WISE PUBLICATIONS.

COMPILED BY LUCY HOLLIDAY.
MUSIC PROCESSED BY PAUL EWERS MUSIC DESIGN.
COVER DESIGN BY FRESH LEMON.
PHOTOGRAPHS COURTESY OF
LONDON FEATURES INTERNATIONAL.
PRINTED IN THE UNITED KINGDOM BY
PRINTWISE (HAVERHILL) LIMITED, SUFFOLK.

WWW.MUSICSALES.COM

ALIVE

WORDS & MUSIC BY MARCOS CURIEL, MARK DANIELS, PAUL SANDOVAL & NOAH BERNARDO

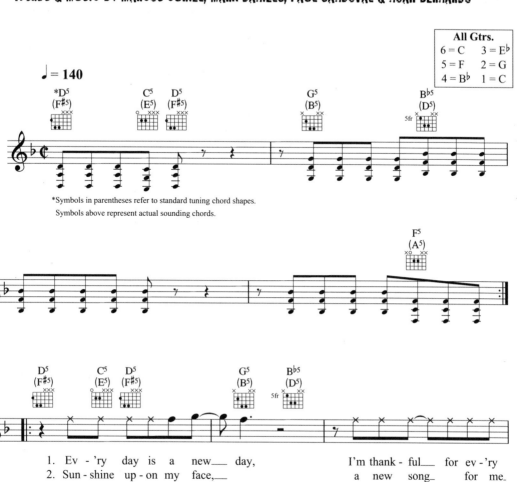

*Symbols in parentheses refer to standard tuning chord shapes.
Symbols above represent actual sounding chords.

1. Ev - 'ry day is a new___ day,   I'm thank - ful___ for ev -'ry
2. Sun - shine up - on my face,___   a new   song_   for me_

breath I   take.   I won't   take you for   grant - ed,
___ to   sing.   Tell the   world how I   feel___   in - side

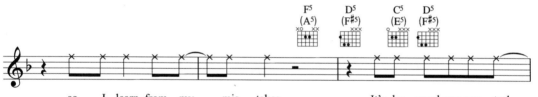

so   I learn from   my___ mis - takes.   It's be - yond my con - trol___
even though it   might cost___ me everything.   Now that I   know_

some - times it's best to let go_____ what - ev - er hap - pens in this
this, so be - yond, I can't hold_____ this, I can nev - er turn my

life time. So I trust in love,___ (so I trust in love)___
back away. Now that I see you,___ (now that I see you)___

___ you have giv - en me peace___ of mind.)
___ I can nev - er look___ a - way.)

I,_____ I feel so a - live____

for the ve - ry first time____ I can't de - ny__

___ you I feel so a - live.___ I,_____

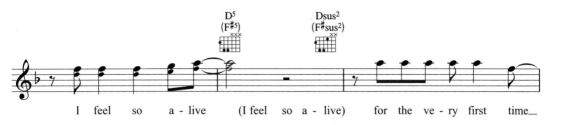

I feel so a - live (I feel so a - live) for the ve - ry first time___

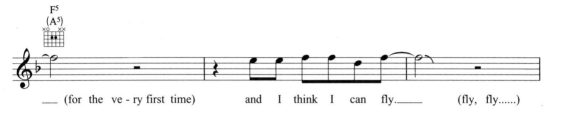

___ (for the ve - ry first time) and I think I can fly.____ (fly, fly......)

1. N.C. **2.** N.C.

Guitar

(D5) *(E5)*

And now that I know___ you,___ I could nev - er turn my

*implied harmony

back a - way.___ And now that I see___ you,

I could nev - er look___ a - way.___ And now that I know___

___ you,___ I could nev - er turn my back a - way._____

And now that I see___ you, I be - lieve no mat - ter

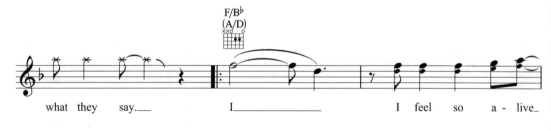

what they say.___ I_____ I feel so a - live_

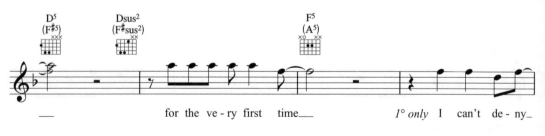

___ for the ve - ry first time___ *1° only* I can't de - ny_

you   I feel so a - live.___   I,____
2° only and I think I can fly

I feel so___ live___ (I feel so a - live)   for the ve - ry first time_

___ (for the ve - ry first time)   and I think I can fly.___ (fly, fly......)

2.
N.C.

Hey love, we got to fly._____ (fly... fly...)   Hey love, we got to fly._

_____ (fly... fly...)   Hey love, we got to fly._____ (fly... fly...)

A.K.A. I-D-I-O-T

WORDS & MUSIC BY RANDY FITZSIMMONS

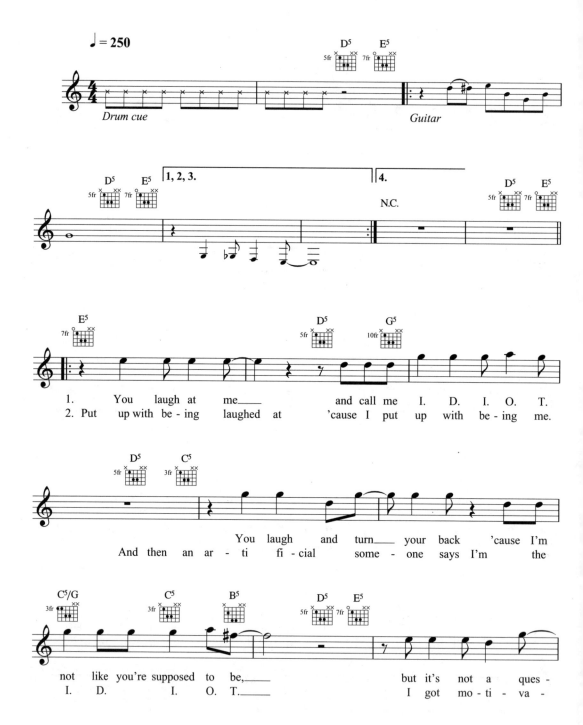

1. You laugh at me____ and call me I. D. I. O. T.
2. Put up with be - ing laughed at 'cause I put up with be - ing me.

You laugh and turn____ your back 'cause I'm
And then an ar - ti fi - cial some - one says I'm the

not like you're supposed to be,____ but it's not a ques -
I. D. I. O. T.____ I got mo - ti - va -

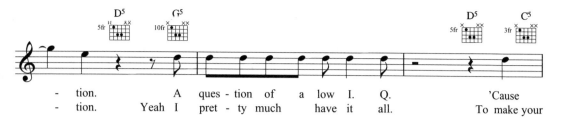

- tion. A ques - tion of a low I. Q. 'Cause
- tion. Yeah I pret - ty much have it all. To make your

if it was well then the ans - wer
ar - ti - fi - cial na - tion,

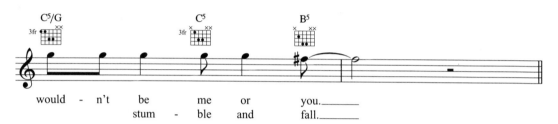

would - n't be me or you._____
stum - ble and fall._____

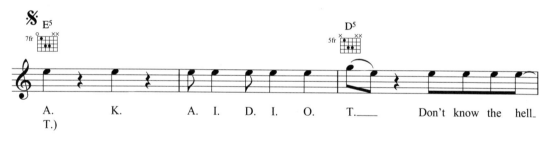

A. K. A. I. D. I. O. T.____ Don't know the hell_
T.)

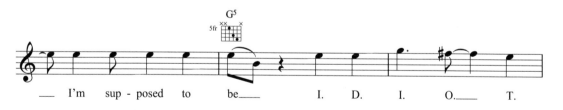

____ I'm sup - posed to be____ I. D. I. O.____ T.

(A. K. A. I. D. I. O. T.) A. K.

9

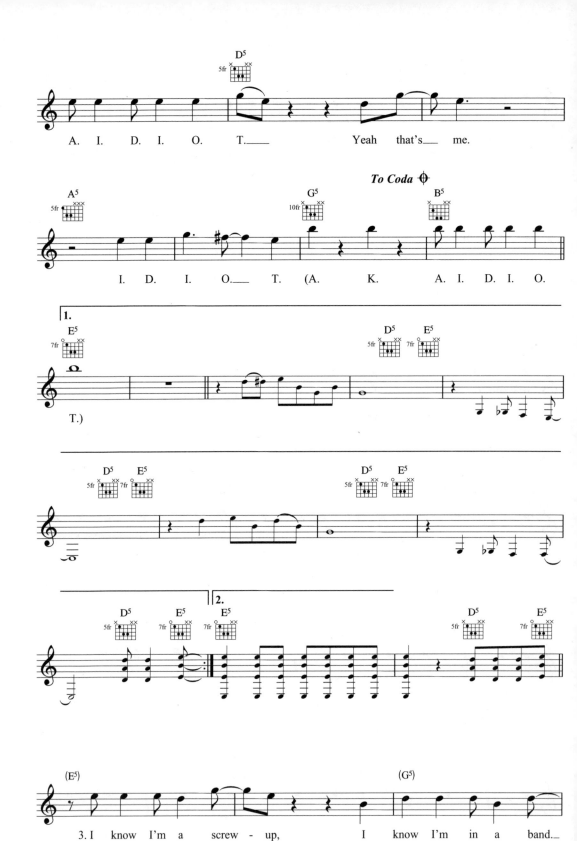

A. I. D. I. O. T.___ Yeah that's___ me.

To Coda ⊕

I. D. I. O.___ T. (A. K. A. I. D. I. O.

1.

T.)

2.

3. I know I'm a screw - up, I know I'm in a band.___

(C⁵)

I know that I am up___ a - gainst_ a

(G⁵)   (C⁵)   (B⁵)   (E⁵)

might - y, might - y man.___ But I'm sa - tis - fied with be - ing,_

(G⁵)

___ be - ing one of the luck - y few___ who'll

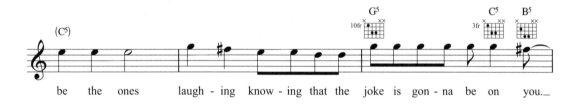

(C⁵)   G⁵   C⁵   B⁵

be the ones laugh - ing know - ing that the joke is gon - na be on you._

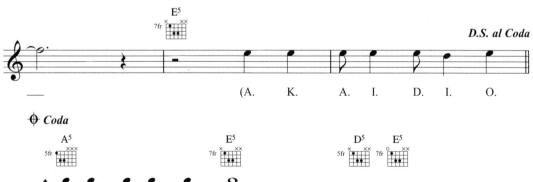

E⁵

D.S. al Coda

___ (A. K. A. I. D. I. O.

⊕ *Coda*

A⁵   E⁵   D⁵   E⁵

A. I. D. I. O. T.

11

BABYLON

WORDS & MUSIC BY DAVID GRAY

♩ = 112

Capo 1st fret

2 bar count in

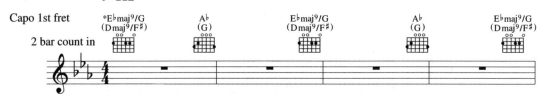

*Symbols in parentheses represent chord names with respect to capoed guitar (TAB 0 = 1st fret).
Symbols above represent actual sounding chords.

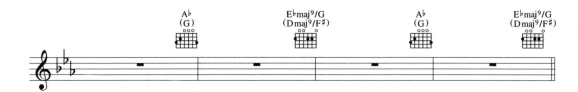

1. Fri-day night,— an' I'm go-in' no - where; all the lights— are chang - in' green—

—— to red.——

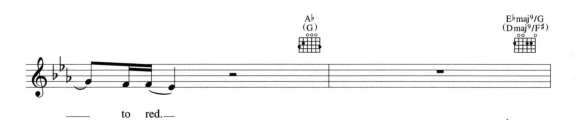

Turn-in' ov — er T.—— V. sta-tions, si - tu - a - tions run-nin' through— my—

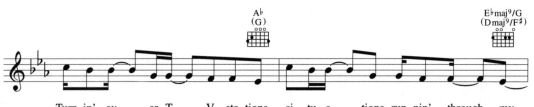

head.

Look - in' back___ through time, you know it's clear___

___ that I've___ been___ blind___ I've___ been a fool.___

To op - en up___ my heart___ to all___ that

jea - lous - y___ that bit - ter - ness,___ that___ ri - di-cule.

2. Sa - tur - day___ I'm run - nin' wild,___ an' all___
3. Sun - day all___ the lights___ in Lon - don___

___ the lights___ are chang - in' red___ to green.___
shin - ing,___ sky is fad - ing red___ to blue.___

Mov - in' through___ the crowds___ I'm push - in'
Kick - in' through___ the au - tumn leaves an'

che - mi - cals___ are rush - in' in___ my___ blood-stream.
won - derin'___ where it is___ you might___ be___ go - ing to.

On - ly wish___ that you___ were here,___ you know_ I'm seein'_
Turn - in' back___ for home___ you know_ I'm feel -

___ it so___ clear; I've___ been a - fraid___
- ing so a - lone___ I___ can't be - lieve.___

to show____ you how____ I real-ly feel,___ ad-mit____
Climb-in' on____ the stair I turn a-round___

____ to some of those____ bad mis-takes I've__ made.
to see you smil-ing there in front of me.

An' if you want__ it_____ come an' get__ it,___

____ for cry-in' out__ loud._____

The love that I__ was____ giv-in' you__ was__

____ nev-er in_____ doubt.__

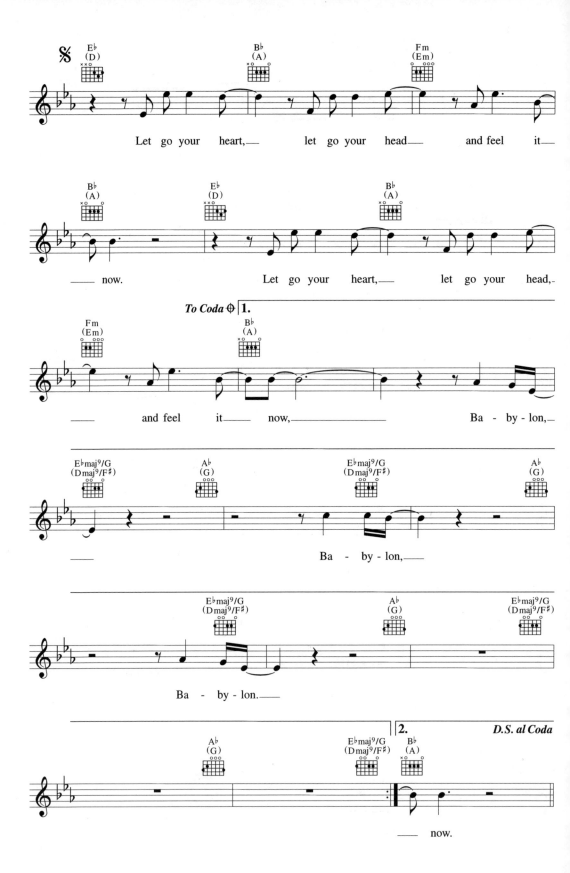

Let go your heart,— let go your head— and feel it—

— now. Let go your heart,— let go your head,–

To Coda ⊕ **1.**

— and feel it— now,————— Ba - by - lon,—

Ba - by - lon,—

Ba - by - lon.—

2. *D.S. al Coda*

— now.

BOHEMIAN LIKE YOU

WORDS & MUSIC BY COURTNEY TAYLOR-TAYLOR

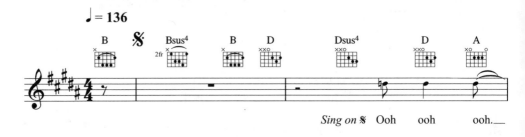

Sing on 𝄋 Ooh ooh ooh.

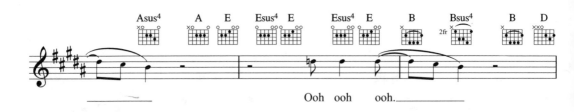

Ooh ooh ooh.

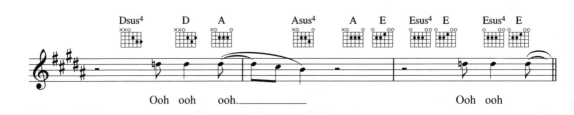

Ooh ooh ooh.   Ooh ooh

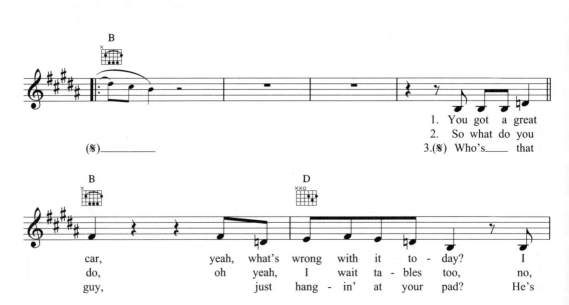

(𝄋)

1. You got a great
2. So what do you
3.(𝄋) Who's that

car,   yeah, what's wrong with it to-day?   I
do,   oh yeah, I wait ta-bles too,   no,
guy,   just hang-in' at your pad?   He's

used to have one too, may - be I'll come and have a look, I real - ly
I have - n't heard your band 'cause you guys are pret - ty new, but if you
look - in' kind - a bummed,___ yeah you broke up that's too bad. I guess it's

love   your hair - do,   yeah,___   I'm
dig   on ve - gan___   food,   well,___   come   ov -
fair   if he al - ways pays the rent and he

glad you like mine too, see we're look - ing pret - ty cool, get ya?
- er to my work, I'll have them cook you some - thing that you real - ly
does - n't get___ bent a - bout sleep - in' on the couch when I'm

love.)
there.)   'Cause I like___ you,   yeah I like___ you   and I'm feel -

- ing so Bo - he - mi - an like___ you,   yeah I like___ you,   yeah I like___

___ you,   and I feel___   oh.___

D.S. al Coda

To Coda ⊕

19

⊕ **Coda**

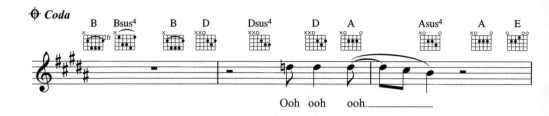

Ooh ooh ooh._____

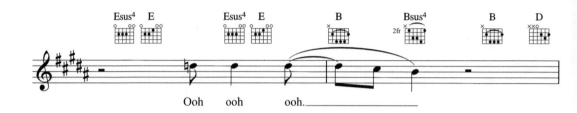

Ooh ooh ooh._____

Ooh ooh ooh._____

I'm get-ting wise and I'm feel-ing so Bo-he-mi-an like___ you. It's you___

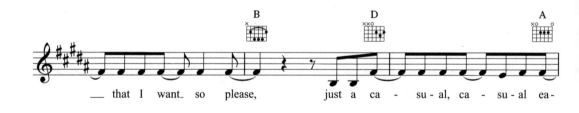

___ that I want_ so please, just a ca - su - al, ca - su - al ea-

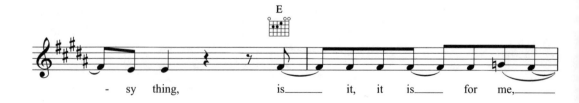

- sy thing, is____ it, it is____ for me,_____

20

and I like___ you, yeah I like___ you, and I like_

___ you, I like___ you, I like___ you, I like___ you, I like_

___ you, I like___ you I like___ you   and I feel.___

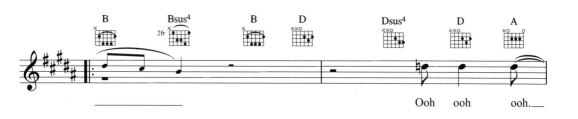

_____   Ooh   ooh   ooh.___

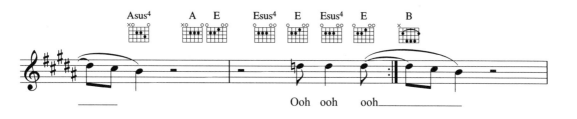

_____   Ooh ooh   ooh_____

BEAUTIFUL DAY

MUSIC BY U2. LYRICS BY BONO

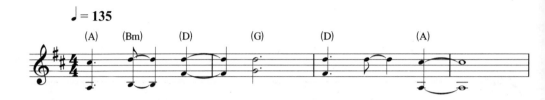

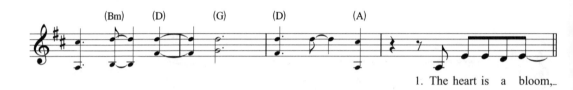

1. The heart is a bloom,

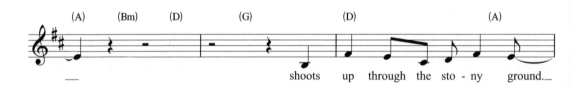

shoots up through the sto - ny ground.

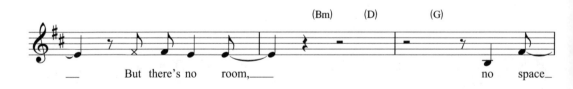

But there's no room, no space

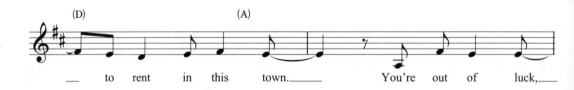

to rent in this town. You're out of luck,

and the rea - son that you had to care._

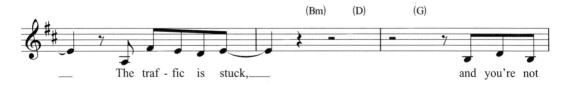

The traf - fic is stuck,_ and you're not

mov - ing an - y - where._ You thought you'd found_

_ a friend_ to take you

out of this place,_ some - one you could lend

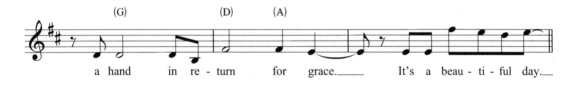

a hand in re - turn for grace._ It's a beau - ti - ful day._

The sky falls and you feel___

___ like it's a beau - ti - ful day,_____ don't

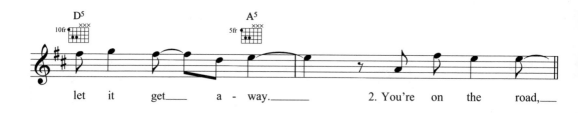

let it get___ a - way._____ 2. You're on the road,___

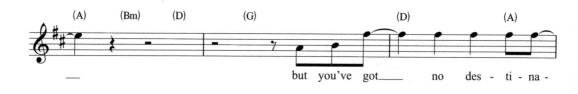

(A) (Bm) (D) (G) (D) (A)

___ but you've got___ no des - ti - na-

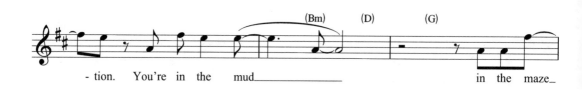

(Bm) (D) (G)

- tion. You're in the mud_____ in the maze_

(D) (A) (Bm) (D)

___ of her i - ma - gi - na - tion. (You) love this_____ town,__

ev - en if it___ does - n't ring__ true. You've

been all ov - er,___ and it's been all ov - er you.___

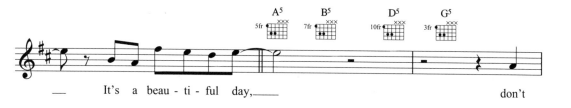

___ It's a beau - ti - ful day,___ don't

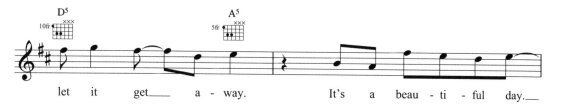

let it get___ a - way. It's a beau - ti - ful day.__

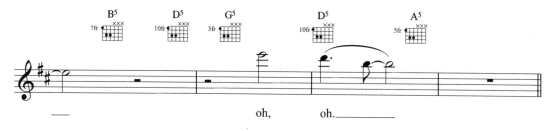

___ oh, oh.___

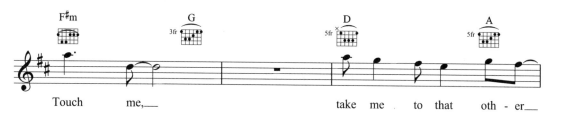

Touch me,___ take me to that oth - er__

_____ place._ Teach me,_____ I

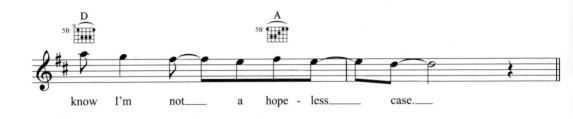

know I'm not____ a hope - less_____ case._

(A)   (Bm)   (D)   (G)   (D)   (A)

Guitar solo

1. See the world   in green and   blue,_   see Chi - na right_
2. See the Be - dou - in   fires at   night,_   see the oil fields

_____ in   front__ of you.   See the can - yons bro - ken by cloud.
at first   light   and,   see the bird   with a leaf in her mouth.

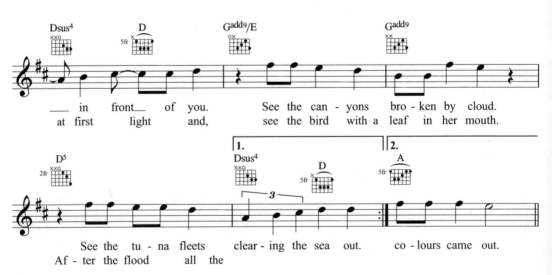

1.
See the tu - na fleets   clear - ing the sea out.
Af - ter the flood   all the

2.
co - lours came out.

N.C.

Day,_____ day,_____ it was a beau - ti - ful_

A⁵ B⁵ D⁵ G⁵   D⁵   A⁵

___ day.   Don't   let   it   get___   a - way,

B⁵   D⁵   G⁵ D⁵ A⁵

beau -ti - ful   day._____

F♯m   G   D   A

Touch   me,_   take   me   to   that   oth - er___   place._

F♯m   G   D   A

Reach_____   me,   I   know I'm   not_   a   hope - less_

A⁵ B⁵ D⁵ G⁵

___ case.   What you   don't have you don't   need it   now,_   what you

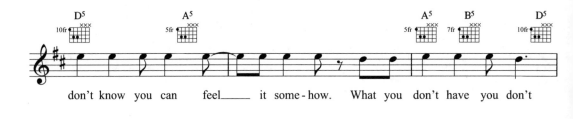

don't know you can feel_____ it some-how. What you don't have you don't

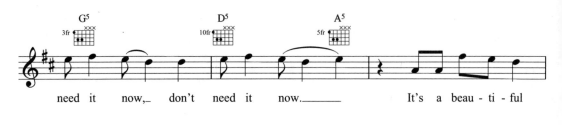

need it now,__ don't need it now._____ It's a beau-ti-ful

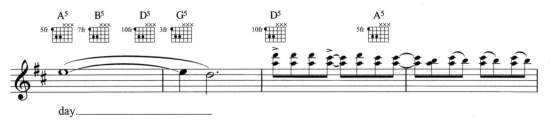

day._____

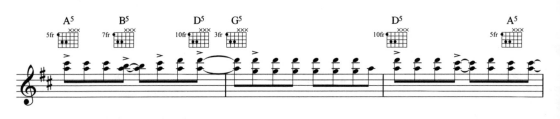

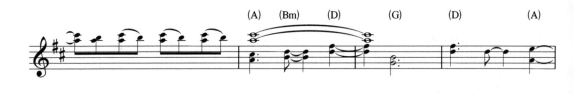

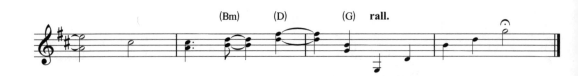

COME BACK AROUND

WORDS & MUSIC BY GRANT NICHOLAS

Tune lowest string to D

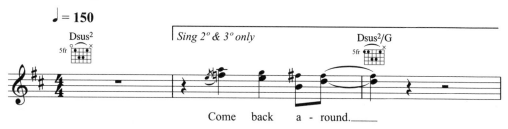

Come back a - round._____

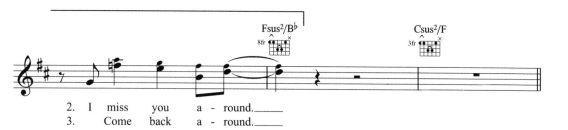

2. I miss you a - round._____
3. Come back a - round._____

1. Tur - ning in - to some - thing,   drif - ting off_____
2. Reach - ing out_____ for some - one,   bur - ning out_____
3. Feel you're go - ing un - der,   so keep on tread -

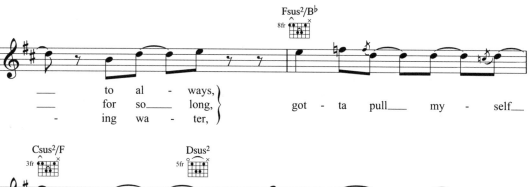

_____ to al - ways,   got - ta pull_____ my - self_____
_____ for so_____ long,
- ing wa - ter,

_____ back_____ in._____ But there's no new_____ re - lig - ion,_____
Feel no ob - li - ga - tion,_____
Hold - ing back_____ the ques - tions,_____

we bruise with all_____ re - jec - tion?_
and there's no real_____ so - lu - tion,_
but no more in - de - cis - ion,_

Got - ta pull_ my -

- self_____ back_ in._____

1° & 2° only

Suf - fer the breaks?   You know I still re - mem - ber it.

It keeps bur - ning a - way_   I know that you may

1.

take a while_   to come back a - round.

2, 3.

to come_ back. We

suf - fer the breaks?_   You know I still re - mem - ber it.

30

It keeps bur - ning a - way,_ I know that you may

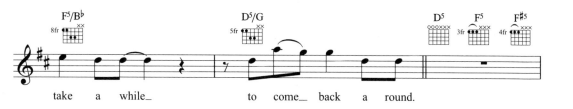

take a while_ to come_ back a round.

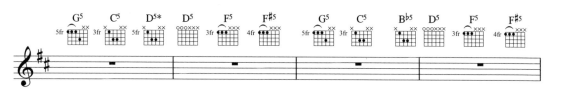

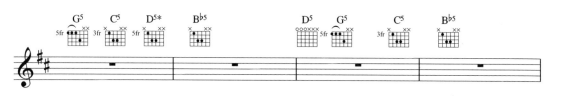

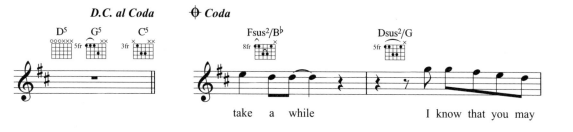

take a while I know that you may

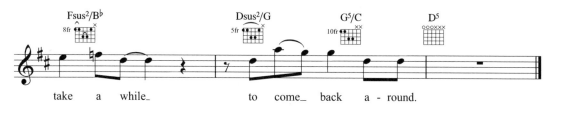

take a while_ to come_ back a - round.

COMPLICATED

WORDS & MUSIC BY LAUREN CHRISTY, DAVID ALSPACH, GRAEME EDWARDS & AVRIL LAVIGNE

♩ = 90

Uh huh, life's like this.

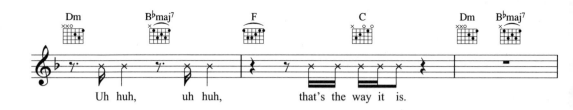

Uh huh, uh huh, that's the way it is.

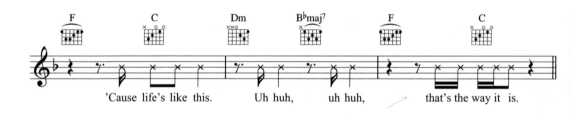

'Cause life's like this. Uh huh, uh huh, that's the way it is.

1. Chill out, what cha yell - in' for? Lay back, it's all been done_ be - fore.
2. You came ov - er un - an - nounced, dressed up like you're some - one else.

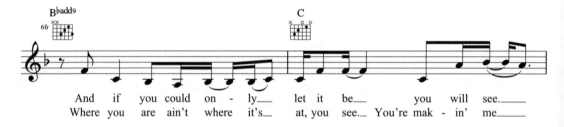

And if you could on - ly_ let it be_ you will see._
Where you are ain't where it's_ at, you see._ You're mak - in' me_

I like you the way you are when we're driv-in' in your car
laugh out when you strike your pose. Take off all your prep - py clothes.
Lay back, it's all been done be - fore.

and you're talk-in' to me one on one but you be - come
You know you're not fool - in' a - ny - one when you be - come
And if you could on - ly let it be you will see

To Coda

some - bo - dy else 'round ev - 'ry - one else. You're watch - ing your back like you can't re - lax. You're

try'n' to be cool. You look like a fool to me. Tell me,

why'd you have to go and make things so com - pli - ca - ted? See the way you're

act - ing like you're some - bo - dy else, gets me frus - tra - ted. Life's like this, you,

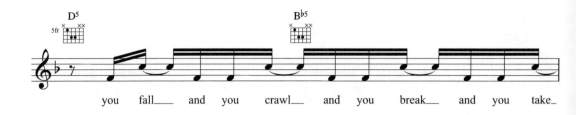

you fall___ and you crawl___ and you break___ and you take_

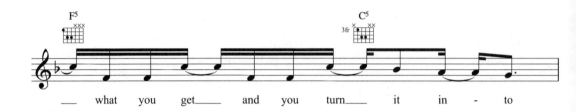

_ what you get___ and you turn___ it in - to

hon - est - y and pro - mise me I'm nev - er gon - na find you fake___ it,___ no, no,

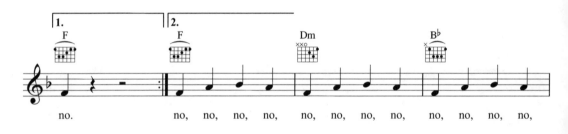

no.   no, no, no, no,   no, no, no, no,   no, no, no, no,

D.S. al Coda

no,   no,   no,   no. Chill out, what cha yell - in' for?

⊕ Coda

try'n' to be cool. You look like a fool to me.___   Tell me___

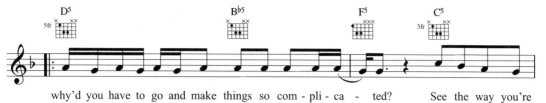

why'd you have to go and make things so com-pli-ca - ted? See the way you're

act-ing like you're some-bo-dy else, gets me frus-tra - ted. Life's like this, you,

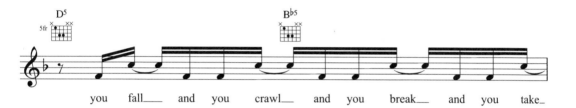

you fall___ and you crawl___ and you break___ and you take_

___ what you get___ and you turn___ it in - to

hon-est-y. Pro-mise me I'm nev-er gon-na find you fake___ it,___ no, no,

it,_____ no, no,_____ no.

CRAWLING

WORDS & MUSIC BY CHESTER BENNINGTON, ROB BOURDON, BRAD DELSON, JOSEPH HAHN & MIKE SHINODA

♩ = 100

Synth.

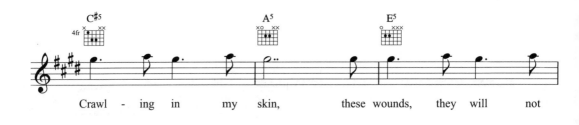

Crawl - ing in my skin, these wounds, they will not

he - al._____ Fear is how I fall con -

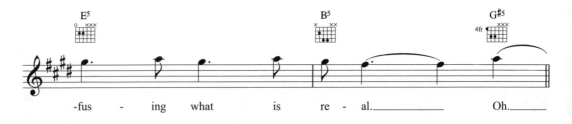

-fus - ing what is re - al._____ Oh._____

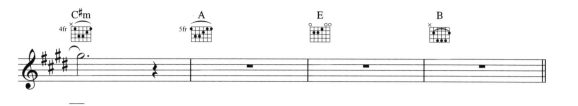

1. There's some - thing in - side me that pulls be - neath the sur - face,

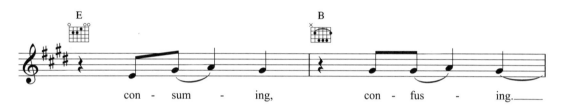

con - sum - ing, con - fus - ing.____

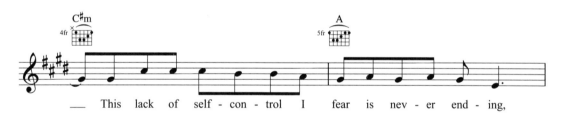

____ This lack of self - con - trol I fear is nev - er end - ing,

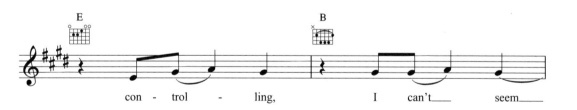

con - trol - ling, I can't____ seem____

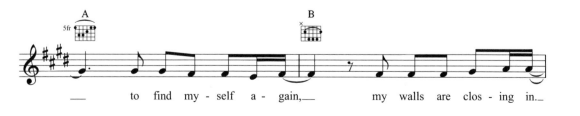

____ to find my - self a - gain,____ my walls are clos - ing in.____

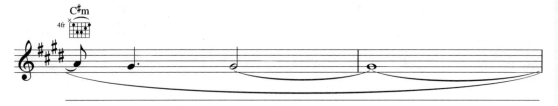

(Without a sense of confidence, I'm convinced that there's just too much pressure to take.)

I've felt this way be - fore,___ so in - se -

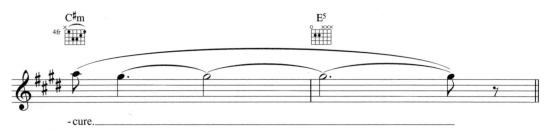

- cure.___

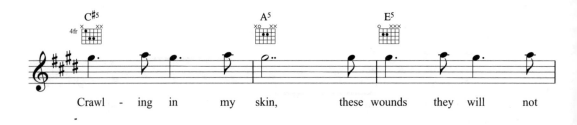

Crawl - ing in my skin, these wounds they will not

he - al.___ Fear is how I fall, con -

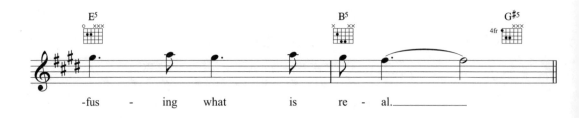

-fus - ing what is re - al.___

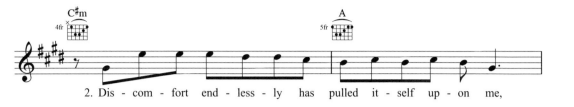

2. Dis - com - fort end - less - ly has pulled it - self up - on me,

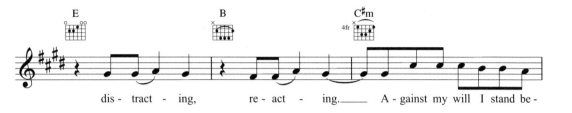

dis - tract - ing, re - act - ing.___ A - gainst my will I stand be -

-side my own re - flec - tion, it's haunt - ing, how I can't_ seem_

___ to find my - self a - gain,___ my walls are clos - ing in.___

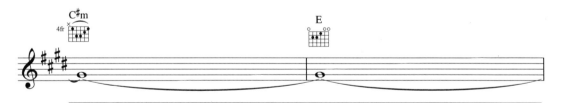

(Without a sense of confidence, I'm convinced that there's just too much pressure to take.)

___ I've felt this way be - fore,___ so in - se - cure.___

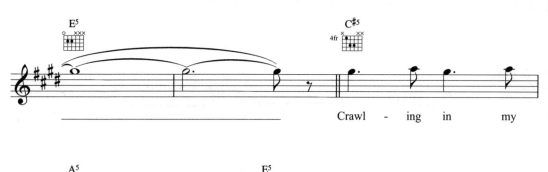

Crawl - ing in my

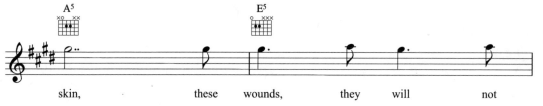

skin, these wounds, they will not

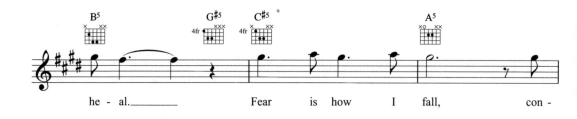

he - al._____ Fear is how I fall, con -

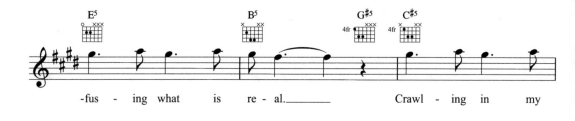

-fus - ing what is re - al._____ Crawl - ing in my

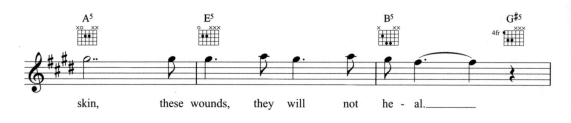

skin, these wounds, they will not he - al._____

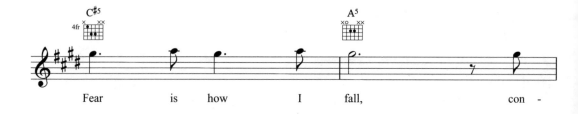

Fear is how I fall, con -

-fus - ing,___ con - fus - ing what is

real.___
(there's some-thing in-side me that pulls be-neath the sur-face,

con - sum - ing.)
Con - fus - ing what is

real.___
(This lack of self con-trol I fear is nev-er end-ing,

con - trol - ing.)
Con - fus - ing what is

real___

ENVY

WORDS & MUSIC BY TIM WHEELER

Gtr. capo 2nd fret

*Symbols in parentheses represent chord names with respect to capoed guitar
Symbols above represent actual sounding chords.*

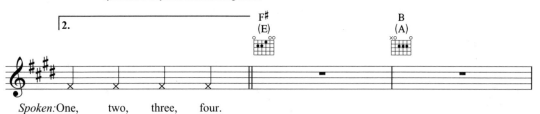

Spoken: One,   two,   three,   four.

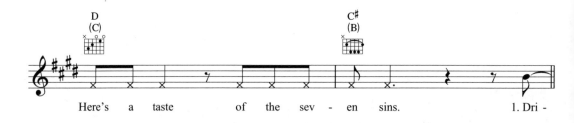

Here's   a   taste   of   the   sev - en   sins.   1. Dri -

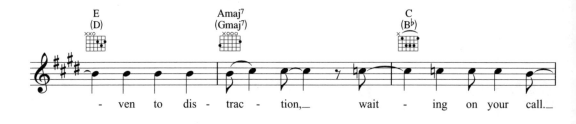

- ven   to   dis - trac - tion,___   wait - ing   on   your   call.___

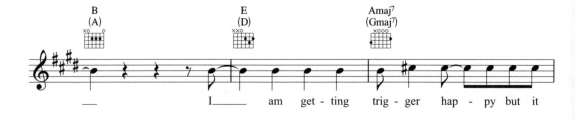

___   I___   am   get - ting   trig - ger   hap - py   but   it

does-n't help at all.___ No___ and I___ can't ev-en think___

_____ with you___ still in my head.___ No___ and I___

___ can-not___ do a - ny - thing,___ I want___

___ you in my head_____ En -

- vy,___ en - vy,___ en - - vy.

Spoken: Struck by a light-ning be-tween the eyes, got pa-ra-lysed, way be-fore I

___ Ev - vy,___ en - vy,___ en -

re-al-ised, hyp-no-tised. Con-spi-ra-cy is mys-te-ry, the air she breathes.

come on.___

3. Fin - ger tips in the hon - ey dipped___ you know___

___ it set my soul on fire.___ From her sul - try hips, to her

vel - vet lips,___ you know___ I could - n't get much high-

- er. I lose my trick - y con - cen - tra - tion,___ I walk___

___ a - round in a dream.___ So come on give me some of your

re - ac - tion,__ I wan - na know ex - pli - ci - ty.____

How it feels so dir - ty sweet.__ Come on. En -

- vy,__ en - vy,__ en - - - vy.__

__ En - vy,__ en - vy,__ en -

- - - vy.____ Come on ba - by,____

uh, come on ba - by.__ Come on____ ba - by,__

come on_____ yeah,___ oh.

Spoken: Too much, too much.   *Spoken:* Got

Coda

En - vy,___ en - vy,___ en-

head-ing for the deep freeze. 2. East to the west, the North_____ to the South, I

- - - vy.___   En - vy,___ en-

want you so bad, want to turn you in - side out. Wan - na all night long feel the

- vy,___ en - - - - - vy.___

sweet sen - sa - tions, sas - sy temp - ta - tions of her

1. C♯ (B)   **2.** C♯ (B)   F♯ (E)

___   *Spoken:* From the hot vi - bra - tions.

47

EVERYDAY

WORDS & MUSIC BY JON BON JOVI, RICHIE SAMBORA & ANDREAS CARLSSON

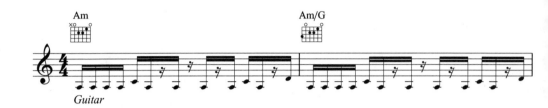

Guitar

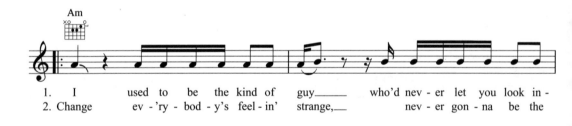

1. I used to be the kind of guy_____ who'd nev - er let you look in -
2. Change ev - 'ry - bod - y's feel - in' strange,_____ nev - er gon - na be the

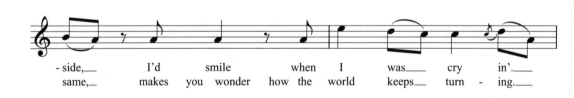

- side,_____ I'd smile when I was_____ cry in'._____
same,_____ makes you wonder how the world keeps_____ turn - ing.

I, had no - thin' but a lot to lose,_____ thought I had a lot to
Life, learn - ing how to live my life,_____ learn - ing how to pick my

prove__ in my life, there's no de - ny - ing.__ Good - bye__ to all_

fights,__ take my shots while I'm still burn - ing.__ Good - bye__ to all_

__ my yes - ter - days.__ Good - bye_ so long,_ I'm on_ my way._

__ those rain - y nights.__ Good - bye_ so long,_ I'm mov - ing on._

I had e - nough of cry - in', bleed - in', sweat - in', dy - in'.

For - give me when I say, gon - na live my life ev - 'ry day.__

I'm gon - na touch the sky_ and I spread these wings and fly.____

I ain't here to play, gon - na live my life ev - 'ry day.__

2° They can

guess,__ take the wheel,__ I just made my-self a deal,__ there ain't

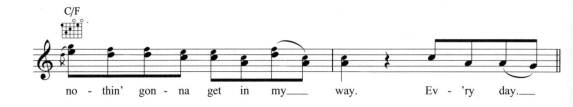

no - thin' gon - na get in my__ way. Ev - 'ry day.__

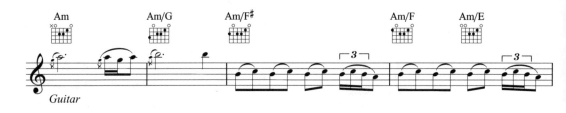

Guitar

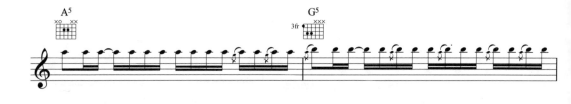

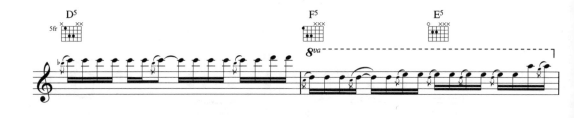

Good - bye,__ so long__ I'm mov - ing on.__ I had e - nough of cry - in',

bleed - in', sweat - in', dy - in'.   For - give me when I say, gon - na live my life ev -'ry day._

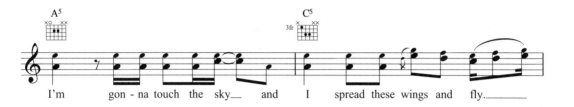

I'm   gon - na touch the sky_   and   I   spread these wings and   fly._____

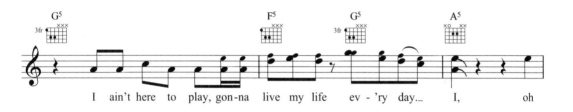

I ain't here to play, gon-na live my life ev -'ry day._   I,   oh

I,_   oh   I,   I'm gon - na live my life   ev -'ry   day._

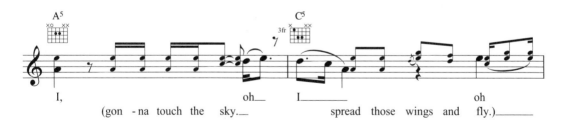

I,   oh_ I_____   oh
(gon - na touch the sky._   spread those wings and fly.)_____

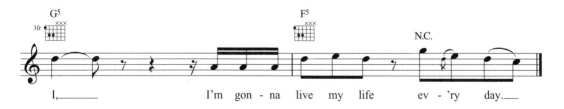

I,_____   I'm gon - na live my life   ev -'ry   day._

FAT LIP

WORDS & MUSIC BY GREIG NORI, DERYCK WHIBLEY, STEVE JOCZ & DAVE BAKSH

1. Storm - ing thro' the par - ty like my name was El Ni - ño. When I'm

know us at all we laugh when old peo - ple fall. But

hang - ing out drink - ing in the back of an El Ca - mi - no

what would you ex - pect with a con - science so small?

As a

kid, and no - one knew me by name___ Trashed my

was a skid

met - al and mullets it's how we were raised,

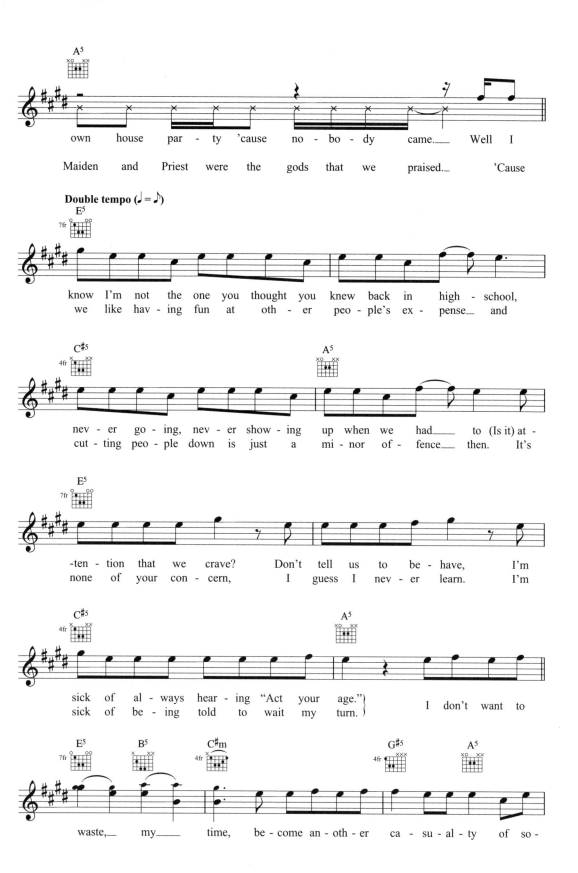

own house par - ty 'cause no - bo - dy came.___ Well I
Maiden and Priest were the gods that we praised.__ 'Cause

Double tempo ($\downarrow$ = $\downarrow$)

know I'm not the one you thought you knew back in high - school,
we like hav - ing fun at oth - er peo - ple's ex - pense__ and

nev - er go - ing, nev - er show - ing up when we had____ to (Is it) at -
cut - ting peo - ple down is just a mi - nor of - fence__ then. It's

-ten - tion that we crave? Don't tell us to be - have, I'm
none of your con - cern, I guess I nev - er learn. I'm

sick of al - ways hear - ing "Act your age."⎫
sick of be - ing told to wait my turn. ⎭   I don't want to

waste,__ my___ time, be - come an - oth - er ca - su - al - ty of so -

53

-ci - e - ty. I'll nev - er fall___ in___ line, be - come an - oth - er

vic - tim of your con - form - i - ty and back

1. Half tempo (♪ = ♩)

down.

2. Half tempo (♪ = ♩)

N.C.

N.C.

2. Be - cause you don't down.

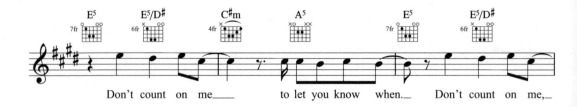

Don't count on me___ to let you know when.__ Don't count on me,__

I'll do it a- gain.__ Don't count on me,__ it's the point you're miss- ing.__

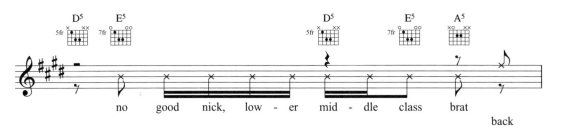

__ Don't count on me __ 'cause I'm not list - 'ning.
Well, I'm a

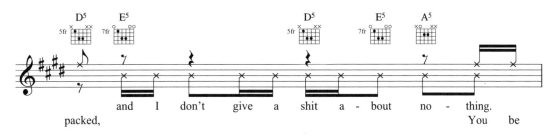

no good nick, low - er mid - dle class brat
back

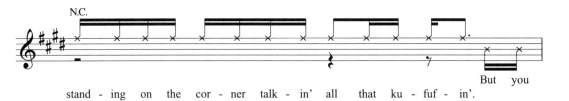

and I don't give a shit a - bout no - thing.
packed, You be

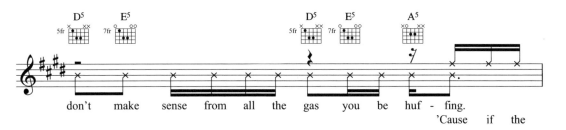

stand - ing on the cor - ner talk - in' all that ku - fuf - in'.
But you

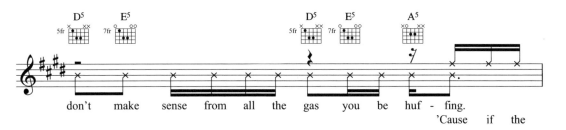

don't make sense from all the gas you be huf - fing.
'Cause if the

egg don't stain, you'll be ring - ing off the You're on the
hook!

hit list, want - ed in the te - le - phone book. I like

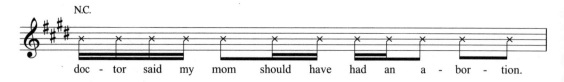

songs with dis - tor - tion to drink___ in pro - por - tion. The

N.C.

doc - tor said my mom should have had an a - bor - tion.

I don't want to

Double tempo (♩ = ♪)

waste___ my___ time, be - come an - oth - er ca - su - al - ty of so -

-ci - e - ty. I'll nev - er fall___ in___ line, be - come an - oth - er

vic - tim of your con - form - i - ty and back

down,
(Waste my time___ with them.)___ ca - su - al - ty of so -

-ci - e - ty.
(Waste my time___ with them.)__

Vic - tim of your con - for - mi - ty and back
___

Half tempo ($\eighthnote = \eighthnote$)

down.

FLOWERS IN THE WINDOW

WORDS & MUSIC BY FRAN HEALY

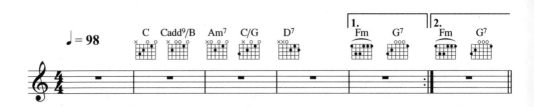

1. When I____ first held____ you I____ was cold,____
2. There is____ no rea-son to____ feel bad,____
3. So now____ we're here____ and now____ is fine,

a melt - ing snow - man I____ was_____ told._____
but there____ are ma - ny sea - sons to feel glad, sad, mad,
so far____ a - way____ from there____ and there is time, time, time,

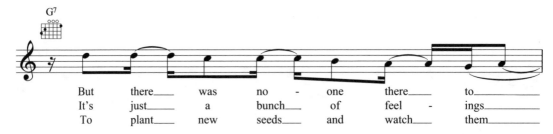

But there____ was no - one there____ to____
It's just____ a bunch____ of feel - ings____
To plant____ new seeds____ and watch____ them

____ hold,_____ be - fore_____ I swore____ that I____
____ that_____ we have_____ to hold.____ But I____
____ grow,_____ so there'll____ be flow-

To Coda ⊕

G7

___ would be a - lone___ for - ev - er more.___
___ am here to help___ you with the load.___
___ - ers in the win - dow when we go___

C   Cadd9/B   Am7   C/G

___ } Wow, look at you now,___ flow - ers in___ the win - dow.___ Such a

D7   Fm   G7

love - ly day_ and I'm glad you feel_ the same_ 'cause they stand up,_

C   Cadd9/B   Am7   C/G

___ out in the crowds, you are one_ in a mil - lion and I

1.

D7   Fm   G7

love you so.___ Let's watch the flow - ers grow.

2.

Fm   G7   C   Cadd9/B

watch the flow - ers grow.___ La la la la la,

la la la la la___ la. La la la la la,___ la la

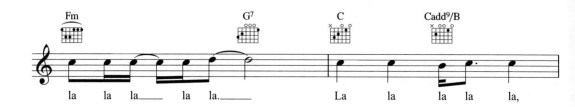

la la la___ la la.___ La la la la la,

D.S. al Coda

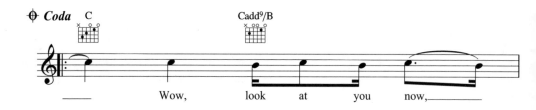

la la la la la___ la. La la la la la.___

Coda C

_____ Wow, look at you now,_____

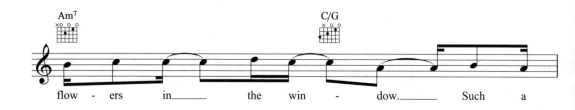

flow - ers in_____ the win - dow._____ Such a

love - ly day__ and I'm glad you feel__ the same 'cause they stand up,___

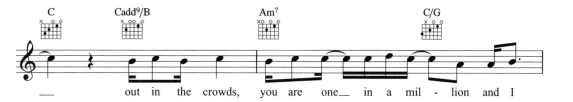

out in the crowds, you are one___ in a mil - lion and I

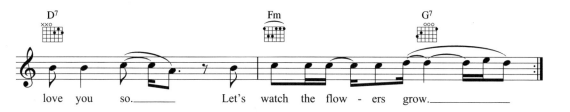

love you so.___ Let's watch the flow - ers grow.___

Love you___ so,___ let's watch the flow - ers___ grow.___

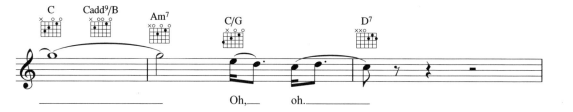

___ Oh,___ oh.___

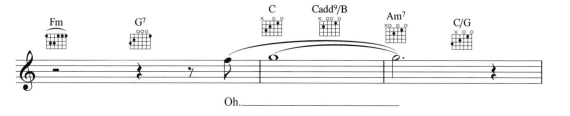

Oh.___

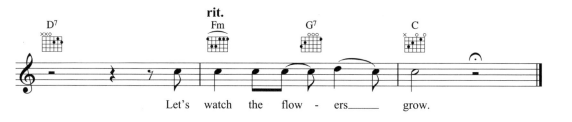

Let's watch the flow - ers___ grow.

GET FREE

WORDS & MUSIC BY CRAIG NICHOLLS

♩ = 138

(Guitar riff)

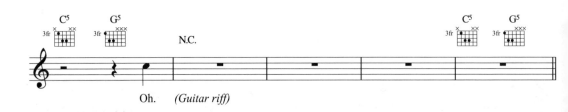

Oh.   (Guitar riff)

1. I'm   gon - na   get   free,   I'm   gon - na   get   free,

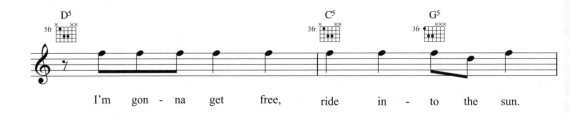

I'm   gon - na   get   free,   ride   in - to   the   sun.

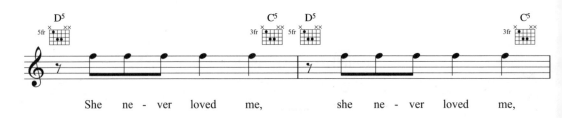

She   ne - ver   loved   me,   she   ne - ver   loved   me,

she ne - ver loved me, why should an - y - one?

(I'll take your pho - to for ya.__

Come here, come here, come here.__

___ Drive you a - round the cor - ner.__

Come here, come here, come here.__

___ You know you real - ly ought - a.__

To Coda ⊕

___ Move out - ta Cal - i - for - nia.__

Come here, come here, come here.__

N.C.(D⁵)

___

63

2. Get (get) me___ (me) far___ (far) when___ I've a lot to lose.

Save (save) me___ (me) from___ (from) here___ (here.)___

Come hear, come here, come here.___

Come here, come here, come here.___

(Ooh.)___

Come here, come here, come here.___

64

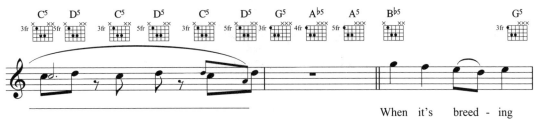

Come here, come here, come here.

When it's breed - ing

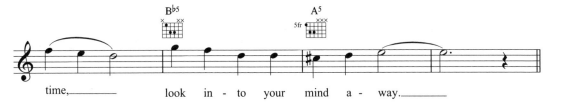

time,_____ look in - to your mind a - way._____

N.C. *(Guitar riff)*

3. I'm gon - na get free, I'm gon - na get free, I'm gon - na get free,

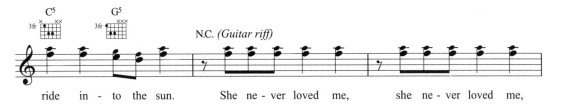

ride in - to the sun. She ne - ver loved me, she ne - ver loved me,

N.C. *(Guitar riff)*

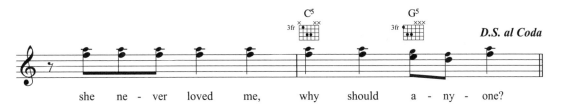

she ne - ver loved me, why should a - ny - one?

D.S. al Coda

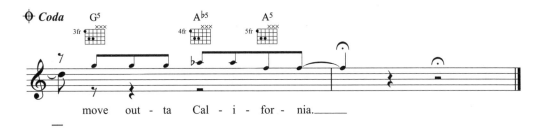

⊕ *Coda*

move out - ta Cal - i - for - nia._____

GET OFF

WORDS & MUSIC BY COURTNEY TAYLOR-TAYLOR

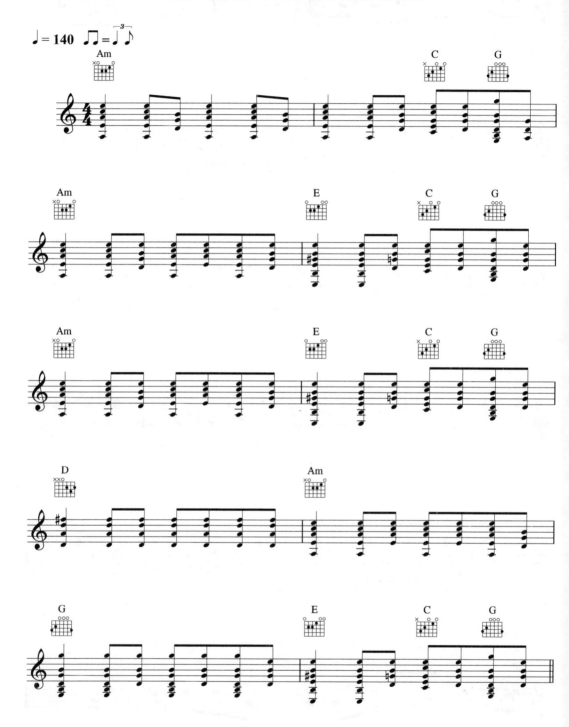

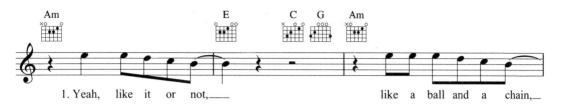

1. Yeah, like it or not,___ like a ball and a chain,__

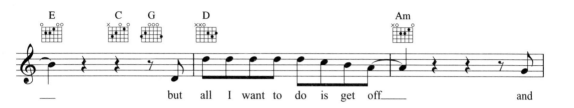

__ but all I want to do is get off___ and

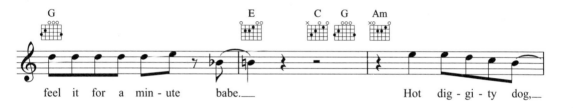

feel it for a min - ute babe.__ Hot dig - gi - ty dog,__

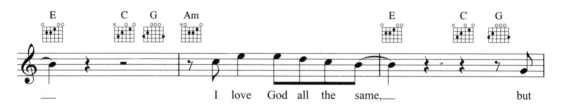

__ I love God all the same,__ but

all I want to do is get off,___ and feel it, feel it, feel__

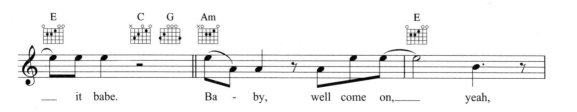

__ it babe. Ba - by, well come on,___ yeah,

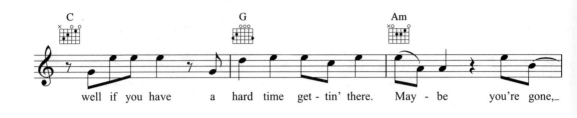

well if you have a hard time get - tin' there. May - be you're gone,__

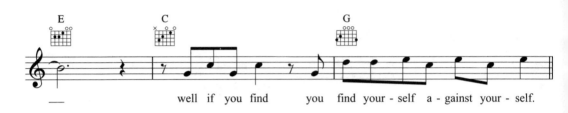

__ well if you find you find your - self a - gainst your - self.

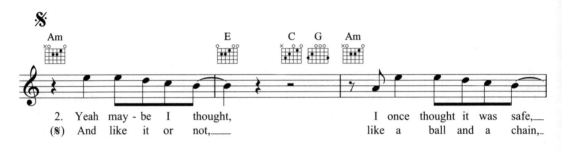

2. Yeah may - be I thought, I once thought it was safe,__
(%) And like it or not,__ like a ball and a chain,__

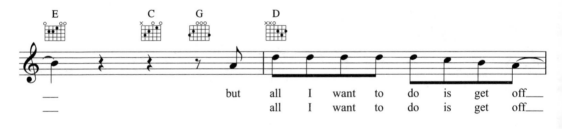

__ but all I want to do is get off__
__ all I want to do is get off__

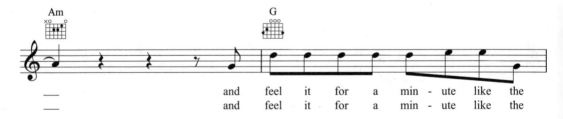

__ and feel it for a min - ute like the
__ and feel it for a min - ute like the

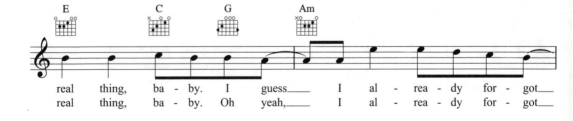

real thing, ba - by. I guess__ I al - rea - dy for - got__
real thing, ba - by. Oh yeah,__ I al - rea - dy for - got__

what I thought I would say___ but
what I thought I would say___ but

all I want to do is get off___ and feel it and feel it, feel_
all I want to do is get off___ and feel it and feel it, feel_

___ it babe.) Ba - by, well come on,___ yeah,
___ it babe.)

well if you have a hard time get - tin' there. May - be you're gone,_

___ well if you find you find your - self a - gainst your - self.

Hey come on___ yeah, if you have a

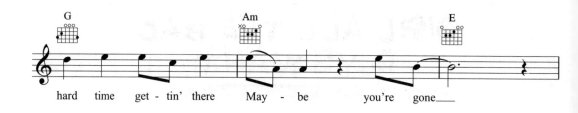

hard time get-tin' there May-be you're gone___

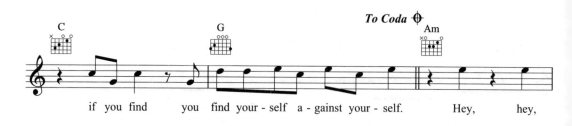

if you find you find your-self a-gainst your-self. Hey, hey,

To Coda ⊕

D.S. al Coda

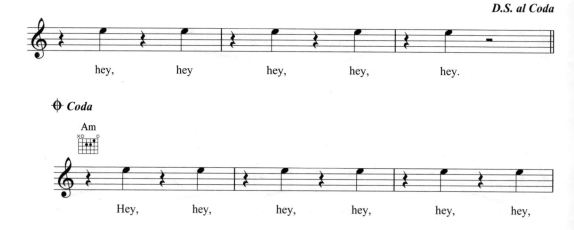

hey, hey hey, hey, hey.

⊕ *Coda*

Hey, hey, hey, hey, hey, hey,

hey, hey, hey, hey, hey, hey,

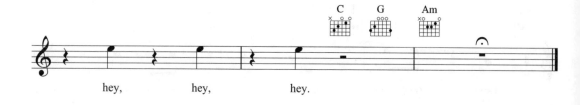

hey, hey, hey.

GIRL ALL THE BAD GUYS WANT

WORDS & MUSIC BY JARET REDDICK & BUTCH WALKER

Tune lowest string to D

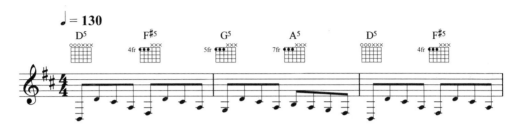

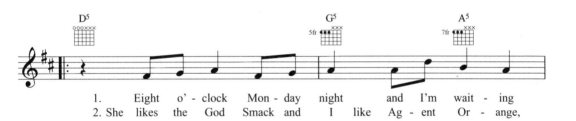

1. Eight o' - clock Mon - day night and I'm wait - ing
2. She likes the God Smack and I like Ag - ent Or - ange,

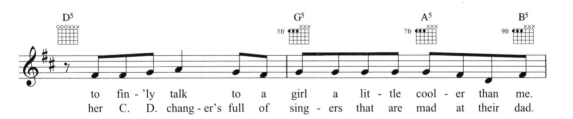

to fin - 'ly talk to a girl a lit - tle cool - er than me.
her C. D. chang - er's full of sing - ers that are mad at their dad.

Her name is Mo - na, she's a rock - er with a nose ring,
She says she'd like to score some reef - er and a for - ty,

she wears a two way but I'm not quite sure what that means.
she'll nev - er know that I'm the best that she'll nev - er have.

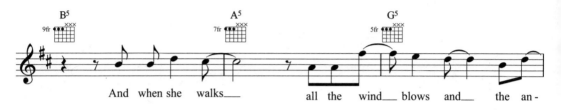

And when she walks___ all the wind___ blows and___ the an -

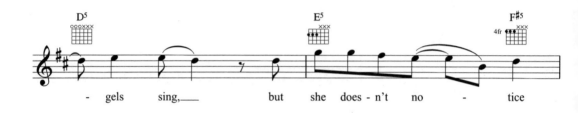

- gels sing,___ but she does - n't no - tice

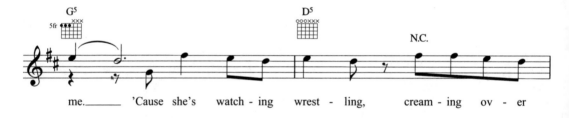

me.___ 'Cause she's watch - ing wrest - ling, cream - ing ov - er

2. only

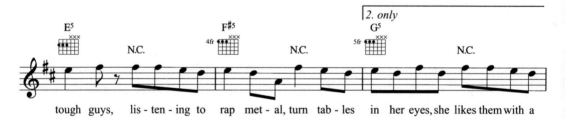

tough guys, lis - ten - ing to rap met - al, turn tab - les in her eyes, she likes them with a

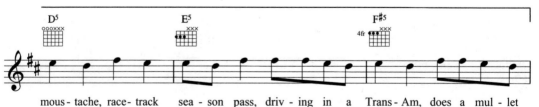

mous - tache, race - track sea - son pass, driv - ing in a Trans - Am, does a mul - let

1, 2.

E5

in her eyes. }
2° make a man? }
It's like a bad___ mov - ie, she's look - ing

F#5   G5

through me, if you were me then you'd be scream - in' "some - one

F#5   G5   A5

shoot me," as I fail___ mis -'rab - ly try'n' to get the girl all the bad guys

1.

D5   F#5   G5   A5   D5   F#5   G5   A5

want.   'Cause she's the girl all the bad guys want.

2.

D5   F#5   G5   A5   D5   F#5

want.   'Cause she's the girl all the bad guys want, 'cause she's the

G5   A5   D5   F#5   G5   A5

girl all the bad guys want.

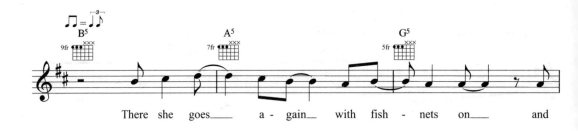

There she goes___ a - gain___ with fish - nets on___ and

dread - locks in her hair.___ She broke my heart___ I wan - na be se - dat-

Half time feel

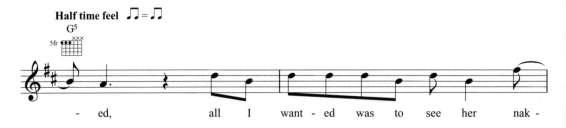

- ed, all I want - ed was to see her nak -

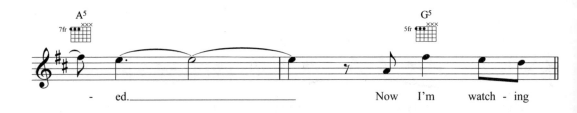

- ed._____ Now I'm watch - ing

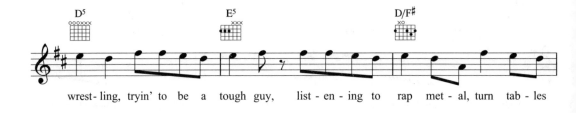

wrest - ling, tryin' to be a tough guy, list - en - ing to rap met - al, turn tab - les

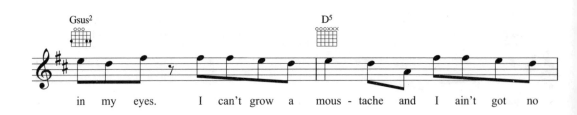

in my eyes. I can't grow a mous - tache and I ain't got no

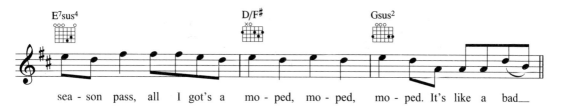

sea - son pass, all I got's a mo - ped, mo - ped, mo - ped. It's like a bad

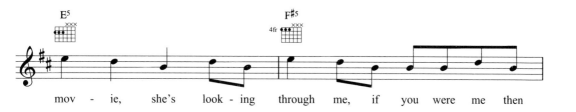

mov - ie, she's look - ing through me, if you were me then

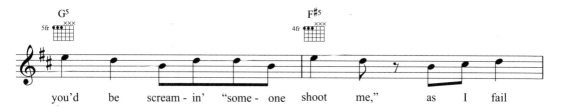

you'd be scream - in' "some - one shoot me," as I fail

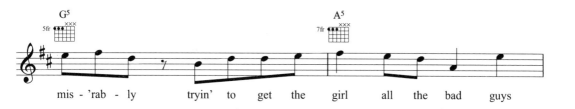

mis - 'rab - ly tryin' to get the girl all the bad guys

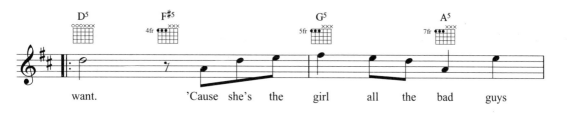

want. 'Cause she's the girl all the bad guys

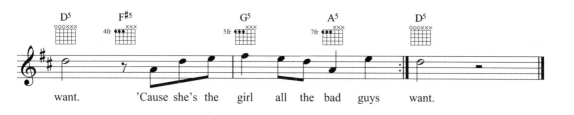

want. 'Cause she's the girl all the bad guys want.

HAVE A NICE DAY

WORDS & MUSIC BY KELLY JONES

♩ = 120

Ba ba da ba ba ba da da.

Ba ba da ba ba ba da da. Ba ba da ba

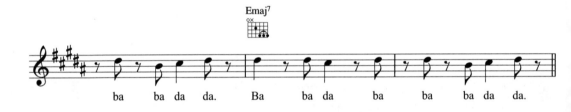

ba ba da da. Ba ba da ba ba ba da da.

1. San Fran-cis-co Bay past Pier Thir-ty Nine. Ear-ly P. M. can't

__ re-mem-ber what time.__ Got the wait-ing cab, stopped at the red light.

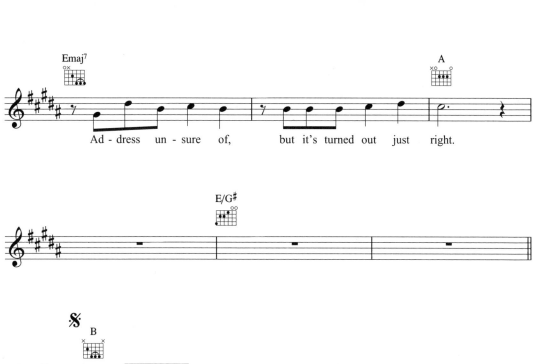

Ad - dress un - sure of, but it's turned out just right.

2. It start - ed straight off "Com - ing here is hell."
3. Lie a - round all day have a drink to chase.
4. Swim in the o - cean that be___ my dish.

That's his first words, we asked what he meant.___
Your - self and tourists, yeah, that's what I hate.___
I'll drive around all day, and kill pro - cessed fish.___

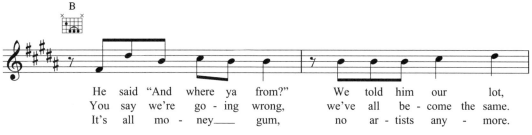

He said "And where ya from?" We told him our lot,
You say we're go - ing wrong, we've all be - come the same.
It's all mo - ney___ gum, no ar - tists any - more.

"When you take a ho - li - day, is this what you want?"
We dress the same___ ways, on - ly our accents change.
You're on - ly in it now, to make more, more, more.

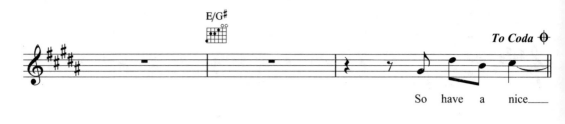

So have a nice___

Ba ba da ba ba ba da ba.
___ day._____ Have a nice_____

Ba ba da ba ba ba da ba. Ba ba da ba
_____ day._____ Have a nice_____ day._____

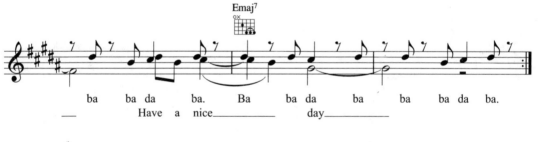

ba ba da ba. Ba ba da ba ba ba da ba.
___ Have a nice_____ day_____

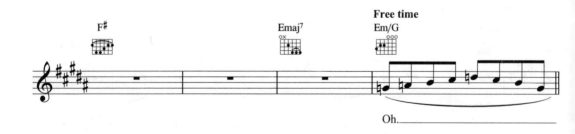

Oh._____

Ba   ba da   ba   ba   ba da ba.

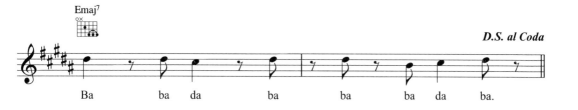

D.S. al Coda

Ba   ba da   ba   ba   ba da ba.

$\oplus$ *Coda*

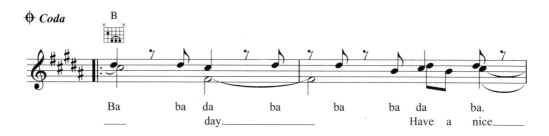

Ba   ba da   ba   ba   ba da   ba.
      day._____   Have a nice_____

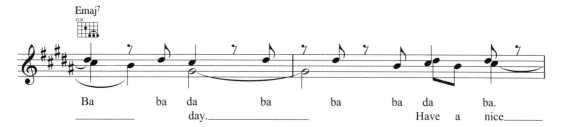

Ba   ba da   ba   ba   ba da   ba.
      day._____   Have a nice_____

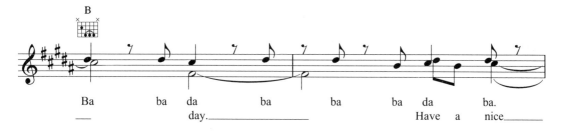

Ba   ba da   ba   ba   ba da   ba.
___   day._____   Have a nice_____

Repeat to fade

Ba   ba da   ba   ba   ba da   ba.
      day._____   Have a nice_____

HIGHLY EVOLVED

WORDS & MUSIC BY CRAIG NICHOLLS

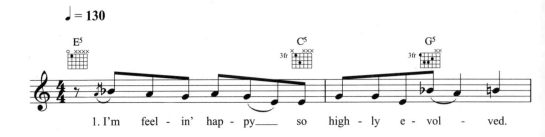

1. I'm feel - in' hap - py___ so high - ly e - vol - ved.

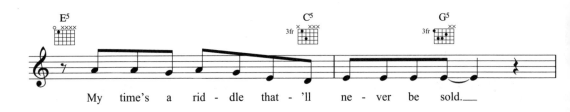

My time's a rid - dle that - 'll ne - ver be sold.___

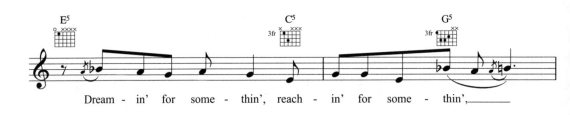

Dream - in' for some - thin', reach - in' for some - thin',___

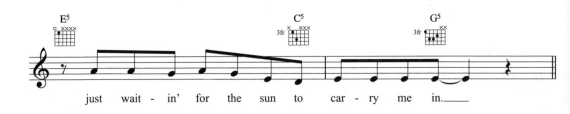

just wait - in' for the sun to car - ry me in.___

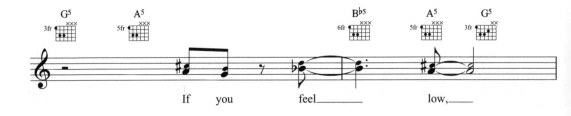

If you feel___ low,___

you can buy____ love__ from a pay__

__ phone,_ I_____ don't feel_____ low.__

2. My bro - ther Bill, he work for the mar - ket,

life is an ar - row now and he is the tar - get.
(Yeah._____

Dream - in' for some - thin', reach - in' for some- thin',_____

just wait - in' for the sun to car - ry me in.____

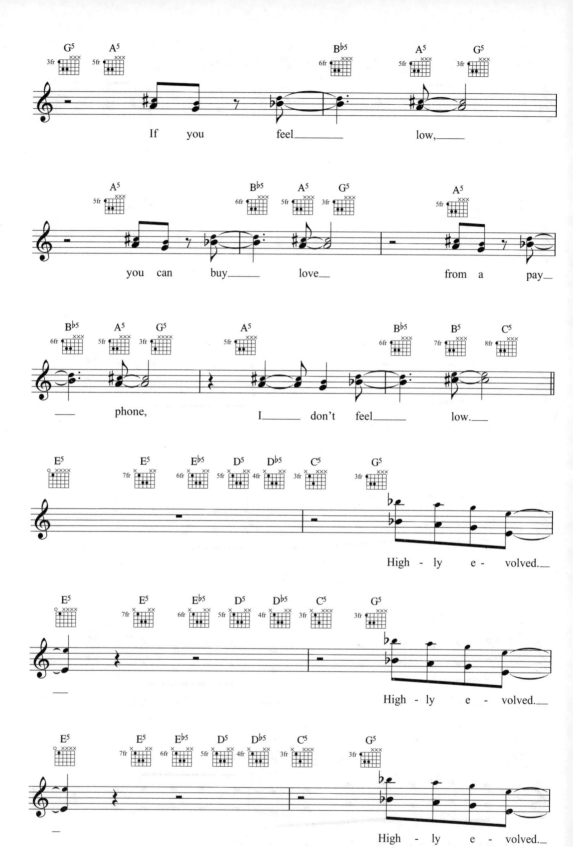

If you   feel_____   low,_____

you can   buy_____   love__   from a   pay__

_____   phone,   I_____ don't   feel_____   low.___

High - ly   e - volved.___

High - ly   e - volved.___

High - ly   e - volved._

High - ly e - volved! I don't feel low. High - ly e - volved.

THE HINDU TIMES

WORDS & MUSIC BY NOEL GALLAGHER

$\quad = 114$

1. I get up___

when I'm down.   I can't swim,___ but my soul___
(2.)_____ that shines on,   shines on me,___ and it keeps_

___ won't drown. I do be- lieve,   I got flare.   I got
___ me warm. It gim - me peace.   I must say.   I can't

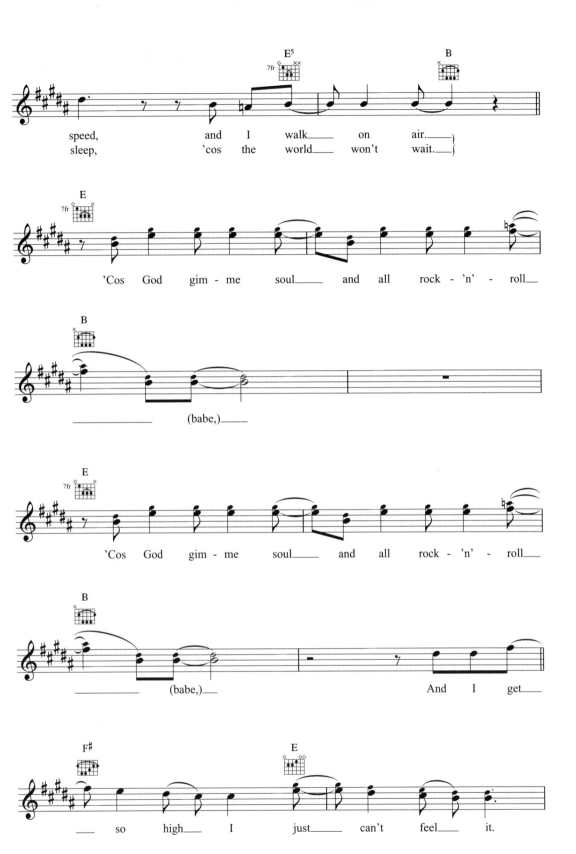

speed, and I walk___ on air.___
sleep, 'cos the world___ won't wait.___

'Cos God gim - me soul___ and all rock - 'n' - roll___

_____ (babe,)_____

'Cos God gim - me soul___ and all rock - 'n' - roll___

_____ (babe,)___ And I get___

___ so high___ I just___ can't feel___ it.

And I get____

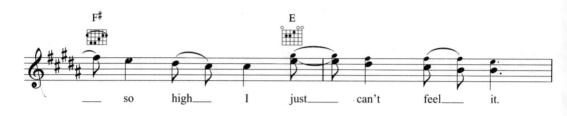

____ so high____ I just____ can't feel____ it.

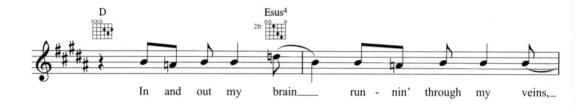

In and out my brain____ run - nin' through my veins,____

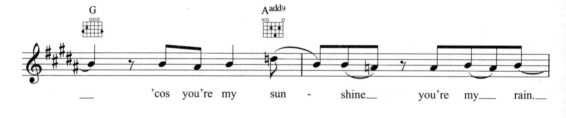

____ 'cos you're my sun - shine____ you're my____ rain.

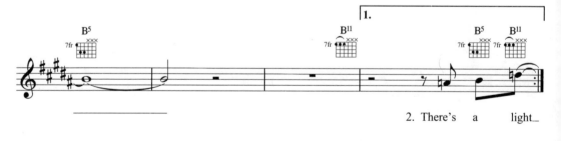

1.

_____

2. There's a light__

2.

And I get___

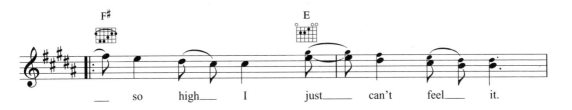

___ so high___ I just___ can't feel___ it.

And I get___ In and out my brain___

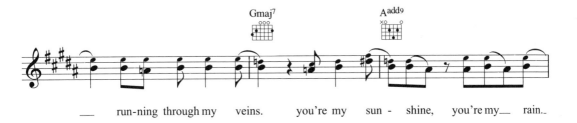

___ run-ning through my veins. you're my sun - shine, you're my___ rain.___

IN MY PLACE

WORDS & MUSIC BY GUY BERRYMAN, JON BUCKLAND, WILL CHAMPION & CHRIS MARTIN

crossed,   I   was___   lost,_____   oh   yeah.
own,   then   I'll___   wait_____   for   you,   yeah.

Yeah,   how   long   must___   you   wait   for_____

___ it?   Yeah,___   how   long   must___   you   pay   for_____

it?   Yeah,___   how   long   must___   you   wait   for_____

___ it?   Ah, for it?___

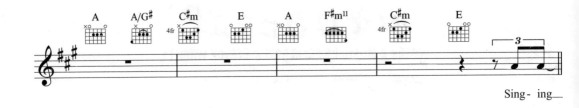

Sing - ing___

___ "Please,___ please,___ please,___ come back and sing to
out,___ now,___ now,___ come on and sing it

me, to me___ ah, me._____ Come on and sing it
out, to me___ ah, me___

___ come back and sing it._____ In my place, in my___

place were lines___ that I could - n't change. And I was lost, oh yeah.___

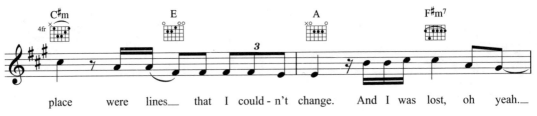

rit.

___ Oh_____ yeah._____

IN TOO DEEP

WORDS & MUSIC BY GREIG NORI & DERYCK WHIBLEY

♩ = 120

1. The fast-er we're fall-in' we're stop-pin' and stall-in'. We're

run-nin' in cir-cles a-gain.___ Just as things were look-ing up, you said it

was-n't good en-ough,___ but still we're try-in' one more time.___

May-be we're just try-in' too hard,___ when real-ly it's clos-

-er than it is too_____ far._____ 'Cause I'm

in too deep_____ and I'm try'n'_____ to keep_____ up a-bove_____

_____ in my head_____ in-stead_____ of go-in' un-der. 'Cause I'm

in too deep_____ and I'm try'n_____ to keep_____ up a-bove_____

_____ in my head_ in-stead_____ of go-in' un-der 'stead_____ of go-in' un der.

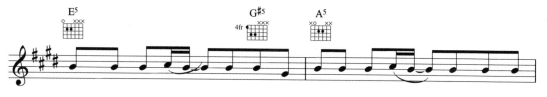

2. Seem like each time___ I'm with you I lose my mind___ be - cause I'm

bend - ing ov - er back - wards to re - late. It's

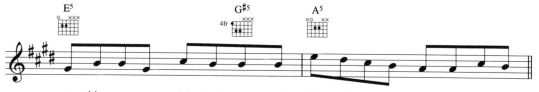

one thing to com - plain, but when you're driv - in' me in - sane, well then I

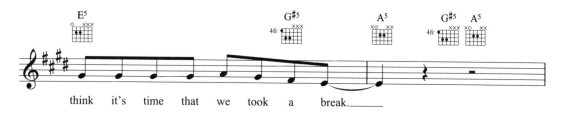

think it's time that we took a break._____

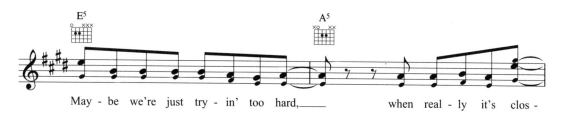

May - be we're just try - in' too hard,___ when real - ly it's clos -

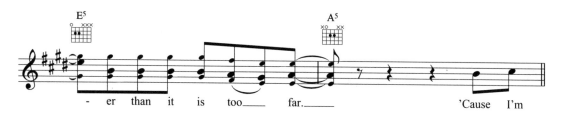

- er than it is too___ far.___ 'Cause I'm

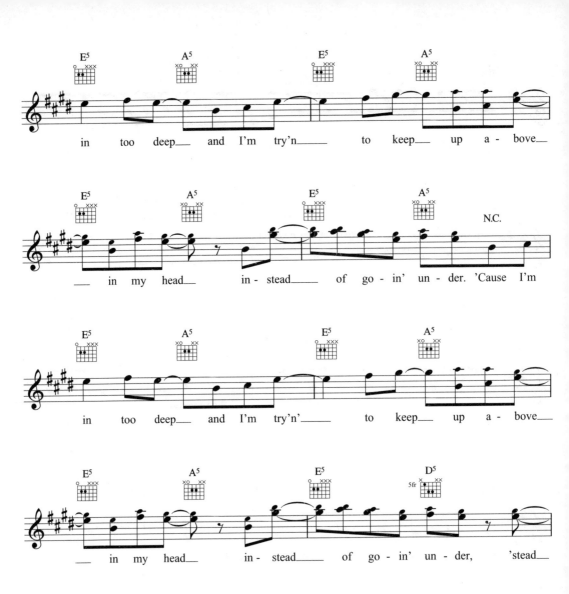

in too deep__ and I'm try'n_____ to keep__ up a - bove__

__ in my head__ in - stead_____ of go - in' un - der. 'Cause I'm

in too deep__ and I'm try'n'_____ to keep__ up a - bove__

__ in my head__ in - stead_____ of go - in' un - der, 'stead__

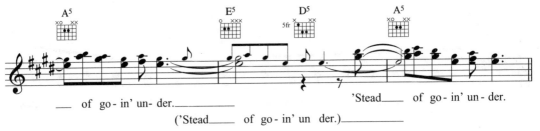

__ of go - in' un - der._____ 'Stead__ of go - in' un - der.

('Stead_____ of go - in' un der.)_____

Guitar

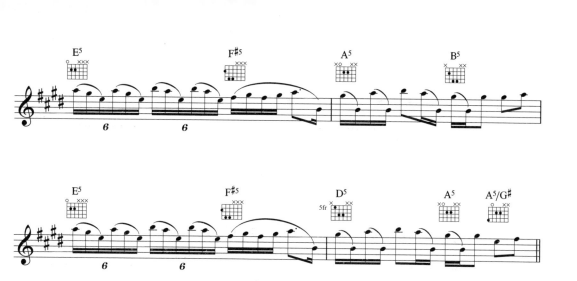

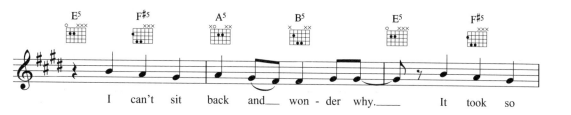

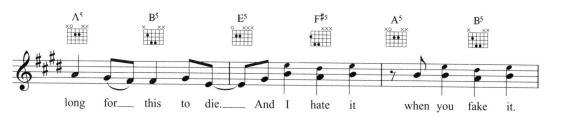

I can't sit back and__ won-der why.____ It took so

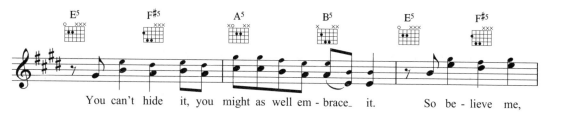

long for__ this to die.____ And I hate it when you fake it.

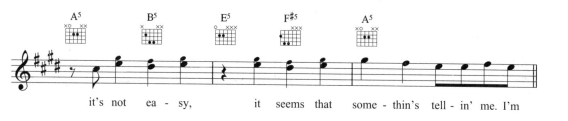

You can't hide it, you might as well em-brace_ it. So be-lieve me,

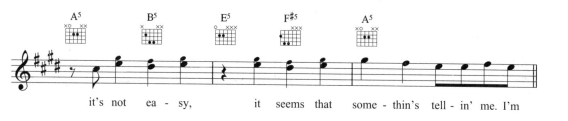

it's not ea-sy, it seems that some-thin's tell-in' me. I'm

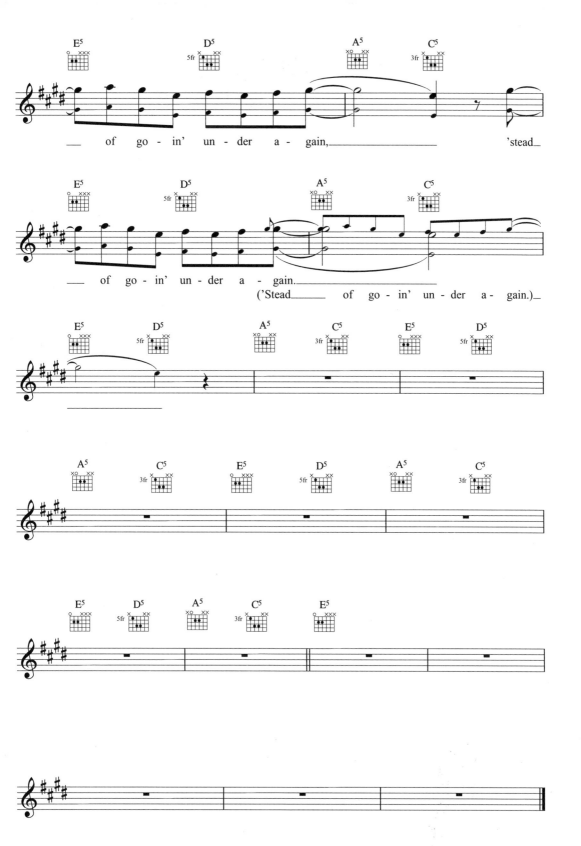

___ of go - in' un - der a - gain,_____ 'stead_

___ of go - in' un - der a - gain._____
('Stead_____ of go - in' un - der a - gain.)_

IT'S WRITTEN IN THE STARS

WORDS BY PAUL WELLER
MUSIC BY PAUL WELLER & SIMON DINE

1. It's

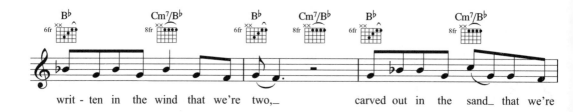

writ - ten in the wind that we're two,_ carved out in the sand_ that we're

real._ It's lit up in the stars_ that we're true._ We're

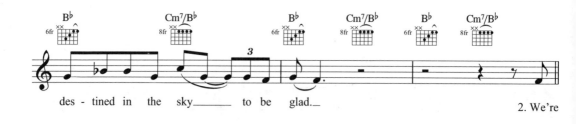

des - tined in the sky_____ to be glad._

2. We're

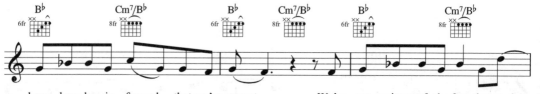

hope - less - ly in - formed_ that we're meant._ We're con - scious of the fact that we're_

— s'posed to   be___   so   sure.___   And   we   are.___   We're

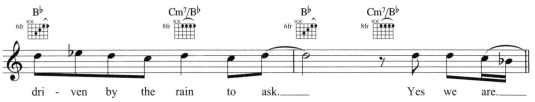

dri - ven   by   the   rain   to   ask.___   Yes   we   are.___

—   Ah,_____   yeah,_____   yeah,__

—   oh._____   3. We're

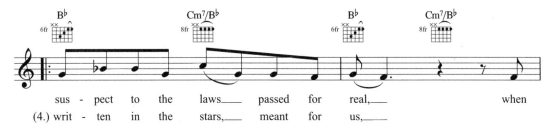

sus - pect   to   the   laws___   passed   for   real,___   when
(4.) writ - ten   in   the   stars,___   meant   for   us,___

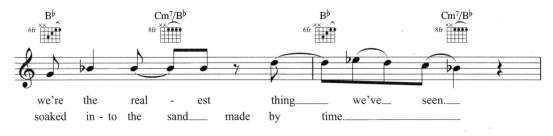

we're   the   real - est   thing___   we've__   seen.__
soaked   in - to   the   sand___   made   by   time._____

Ta - ken by the hand___ from a - bove.___ I

real - ly do feel___ we___ work for love._____

1.

Ah,_____ yeah,_ aw,_____

uh uh, ah,_____ yeah._____ 4. It's

2.

N.C.

5. And it's writ - ten in the wind__ that we're

two.__ It's carved out in the sand__ that we're real.__ We're

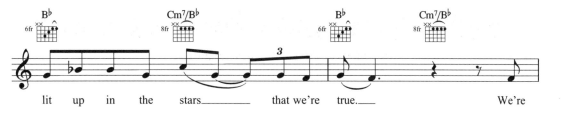

lit   up   in   the   stars_____   that we're   true.____   We're

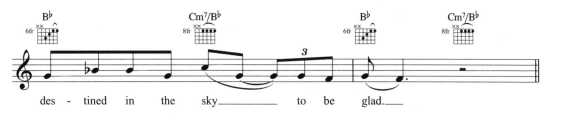

des -   tined   in   the   sky_____   to   be   glad.____

Uh!   Uh! Uh!   Yeah.___   Uh!

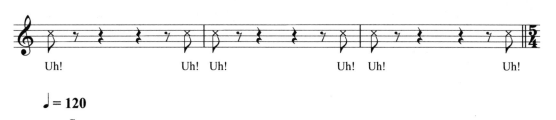

Uh!   Uh! Uh!   Uh! Uh!   Uh!

♩ = 120

JUST THE WAY I'M FEELING

WORDS & MUSIC BY GRANT NICHOLAS

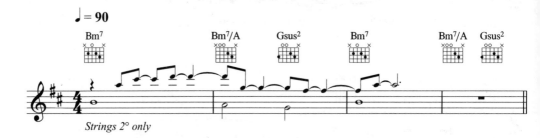

1. Love in,___ love out,___ find the feel - ing.___
2. Glow in,___ burn out,___ lost the feel - ing.___

Scream in,___ scream out,___ time for heal -
Bruise in,___ you bruise out,___ nurse the bleed -

Play 1° only

- ing.___ You feel___ the mo -
- ing.___

- ment's gone___ too soon.___

You're watch-ing____ clouds____ come o - ver you.____

Torn in____ two,____

Play 1º only

you close your eyes_____ for some____ place new,____

____ torn in_____ two.____
2º each time we____ bruise.____

And I feel it's go-ing____ down, ten feet be-low____ the ground,____

____ I'm wait-ing for_ your hea - ling hand,_ one touch could bring____ me round.____

Love in,_____ love out,___ find the feel - ing.___

D.S. al Coda

Coda

ing. Yeah_ yeah,___ it's just the way_ I'm feel - ing. Yeah_ yeah,___

___ it's just the way___ I'm feel - ing. Yeah_ yeah,___ it's just the way__ I'm feel -

- ing. Yeah_ yeah,___ it's just the way_ I'm feel - ing.

LAST RESORT

WORDS & MUSIC BY PAPA ROACH

Tune lowest string to D

$\quad$ = 120

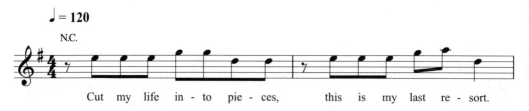

Cut my life in-to pie-ces, this is my last re-sort.

Suf-fo-ca-tion, no breath-ing. Don't give a fuck if I cut my arm bleed-ing.

This is my last re-sort.

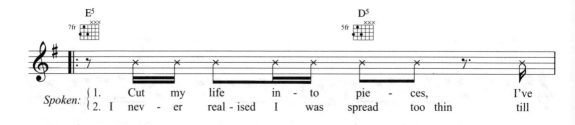

Spoken: 1. Cut my life in-to pie-ces, I've
2. I nev-er real-ised I was spread too thin till

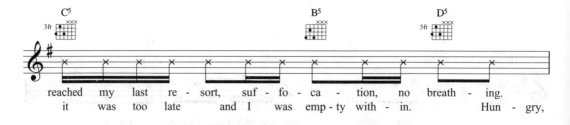

reached my last re-sort, suf-fo-ca-tion, no breath-ing.
it was too late and I was emp-ty with-in. Hun-gry,

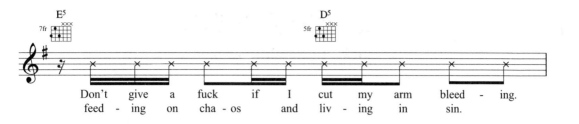

Don't give a fuck if I cut my arm bleed - ing.
feed - ing on cha - os and liv - ing in sin.

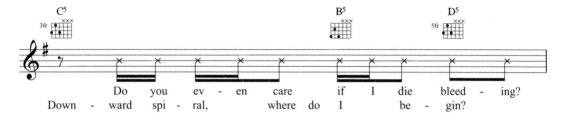

Do you ev - en care if I die bleed - ing?
Down - ward spi - ral, where do I be - gin?

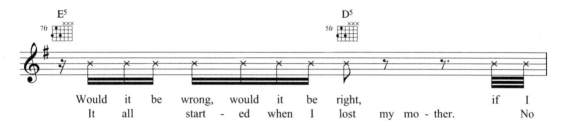

Would it be wrong, would it be right, if I
It all start - ed when I lost my mo - ther. No

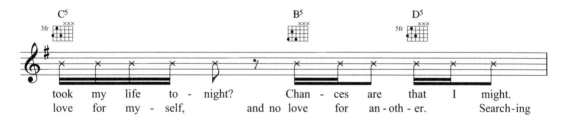

took my life to - night? Chan - ces are that I might.
love for my - self, and no love for an - oth - er. Search - ing

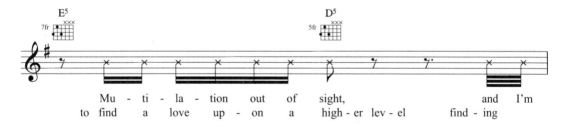

Mu - ti - la - tion out of sight, and I'm
to find a love up - on a high - er lev - el find - ing

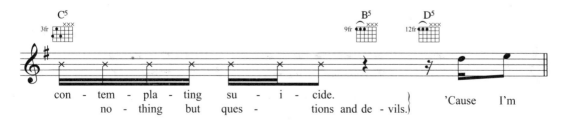

con - tem - pla - ting su - i - cide. 'Cause I'm
no - thing but ques - tions and de - vils.

los - ing my sight,   los - ing my mind.   Wish some - bo - dy would tell me I'm fine.

1.

Los - in my sight,   los - ing my mind.   Wish some - bo - dy would tell me I'm   fine.

2.

Los - ing my sight,   los - ing my mind.   Wish some - bo - dy would tell me I'm   fine.

No - thing's   al - right,_   no - thing   is   fine._

To Coda

I'm   run - ning   and_   I'm   cry - ing.___

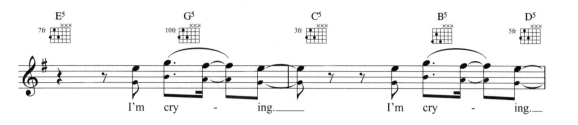

I'm cry - ing._____ I'm cry - ing.__

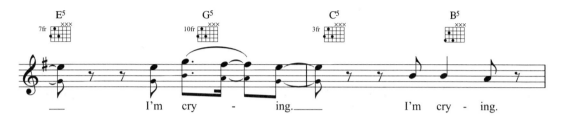

__ I'm cry - ing._____ I'm cry - ing.

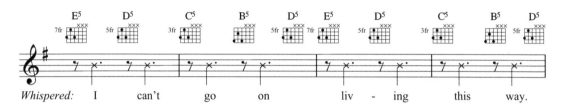

Whispered: I can't go on liv - ing this way.

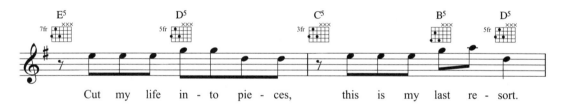

Cut my life in - to pie - ces, this is my last re - sort.

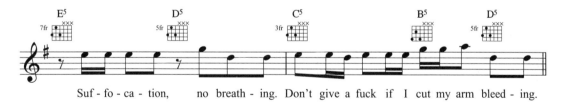

Suf - fo - ca - tion, no breath - ing. Don't give a fuck if I cut my arm bleed - ing.

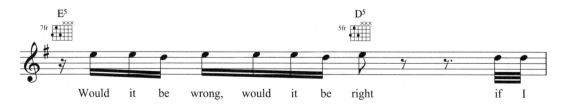

Would it be wrong, would it be right if I

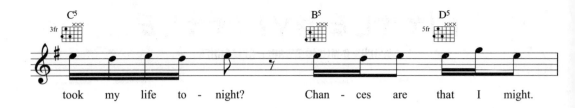

took my life to - night? Chan - ces are that I might.

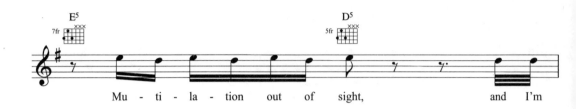

Mu - ti - la - tion out of sight, and I'm

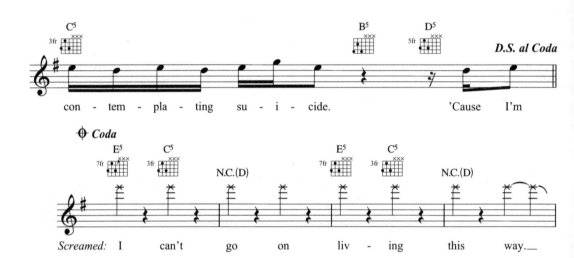

con - tem - pla - ting su - i - cide. 'Cause I'm

D.S. al Coda

Coda

Screamed: I can't go on liv - ing this way.___

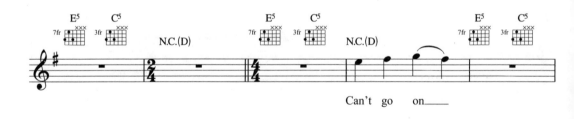

Can't go on___

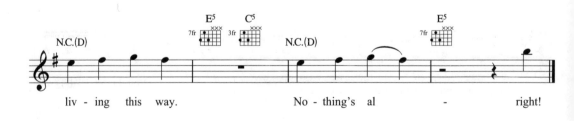

liv - ing this way. No - thing's al - right!

LITTLE BY LITTLE

WORDS & MUSIC BY NOEL GALLAGHER

1. We the peo - ple fight for our___ ex - is - tence,___ we
2. True per - fec - tion has to be___ im - per - fect,___ I

don't claim to be per - fect but we're free.___ We
know that that___ sounds foolish but it's true.___ The

dream our dreams a - lone___ with no___ re - sis - tance,
day has come_ and___ now you'll_ have to___ ac - cept,

fad - ing like the stars___ we wish to be.___ }
life in - side your head___ we give to you.___ }   You know I did - n't

mean_____ what I just said,_____ though my

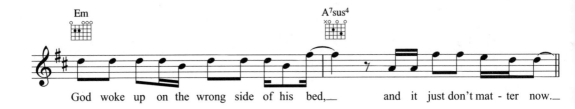

God woke up on the wrong side of his bed,__ and it just don't mat - ter now.__

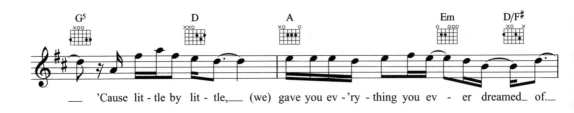

__ 'Cause lit - tle by lit - tle,__ (we) gave you ev -'ry - thing you ev - er dreamed_ of.__

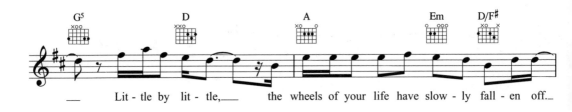

__ Lit - tle by lit - tle,__ the wheels of your life have slow - ly fall - en off.__

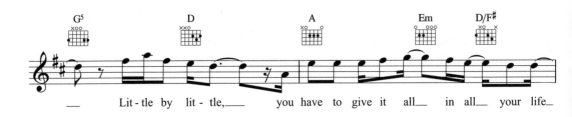

__ Lit - tle by lit - tle,__ you have to give it all__ in all__ your life__

__ and all__ the time I just ask____ my - self why__ are you real - ly here?__

MY FRIENDS OVER YOU

WORDS & MUSIC BY CYRUS BOLOOKI, CHAD GILBERT, JORDAN PUNDIK, IAN GRUSHKA & STEVE KLEIN

Tune lowest string to D

♩ = 180

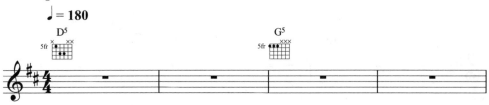

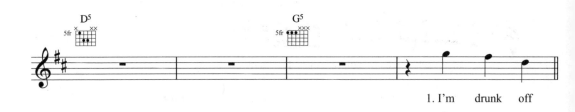

1. I'm drunk off your___ kiss,

your___ kiss, for an-oth-er night___ in a row,

ev-'ry-thing, that you think___ that I___ should know

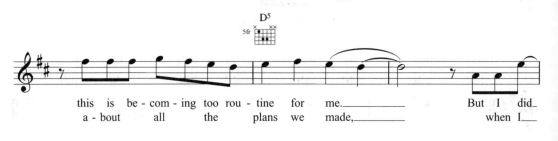

this is be-com-ing too rou-tine for me._____ But I did___

a-bout all the plans we made,_____ when I___

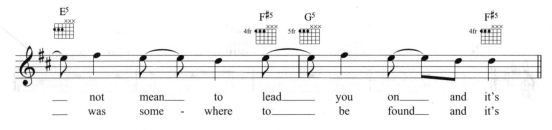

___ not mean___ to lead___ you on___ and it's

___ was some-where to___ be found___ and it's

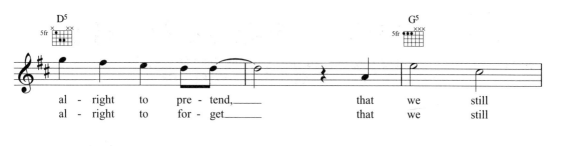

al - right to pre - tend,_____ that we still
al - right to for - get_____ that we still

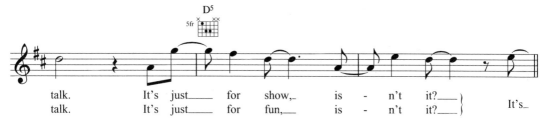

talk. It's just____ for show,_ is - n't it?____
talk. It's just____ for fun,__ is - n't it?____ } It's_

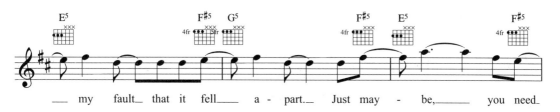

___ my fault_ that it fell____ a - part.__ Just may - be,_____ you need_

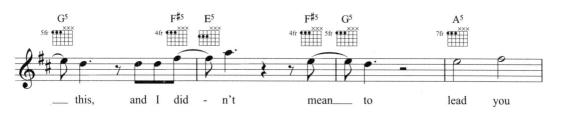

___ this, and I did - n't mean____ to lead you

on. You were ev - 'ry - thing I want - ed_____

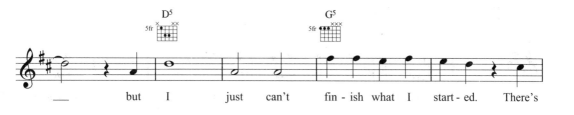

___ but I just can't fin - ish what I start - ed. There's

no room left here on my back, it was dam - aged long a -

To Coda ⊕ |1.

- go, though you swear that you are true I still pick my friends ov - er you.

My__ friends ov - er you.

|2.

2. Please tell me you._____

|1, 2.

My friends ov - er you.

|3.

Just may - be___ you need___ this,___ you need___

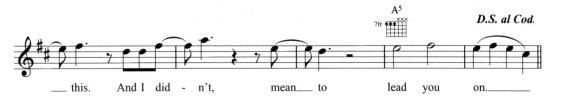

this. And I did - n't, mean to lead you on.

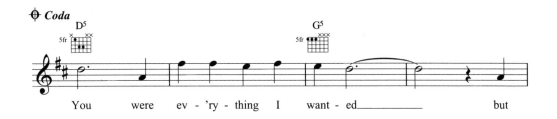

Coda

You were ev - 'ry - thing I want - ed but

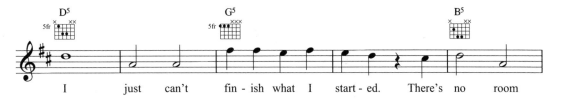

I just can't fin - ish what I start - ed. There's no room

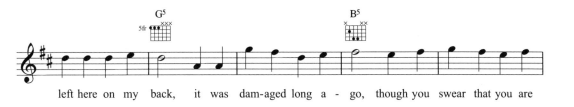

left here on my back, it was dam-aged long a - go, though you swear that you are

true I still pick my friends ov - er you. My

friends ov - er you.

NEWBORN

LYRICS & MUSIC BY MATTHEW BELLAMY

Tune lowest string to D

$\quad$ = 147

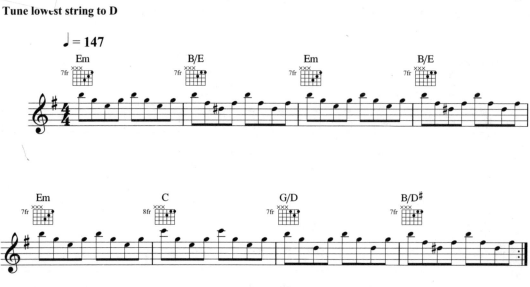

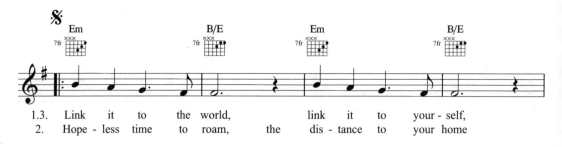

1.3. Link it to the world, link it to your-self,

2. Hope-less time to roam, the dis-tance to your home

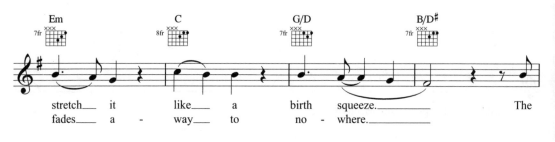

stretch it like a birth squeeze. The

fades a - way to no - where. The

love for what you hide, the bit-ter-ness in - side is

How much are you worth? You can't come down to earth, you're

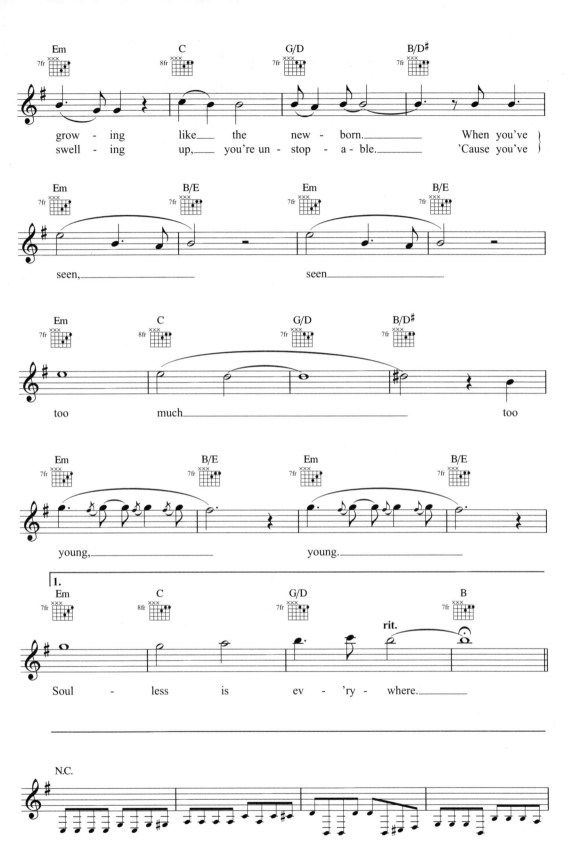

grow - ing   like___ the   new - born._____   When you've
swell - ing   up,___ you're un - stop - a - ble._____   'Cause you've

seen,_____   seen_____

too   much_____   too

young,_____   young._____

1.

Soul - less   is   ev - 'ry - where._____

N.C.

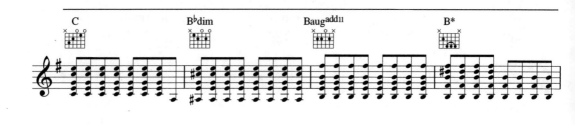

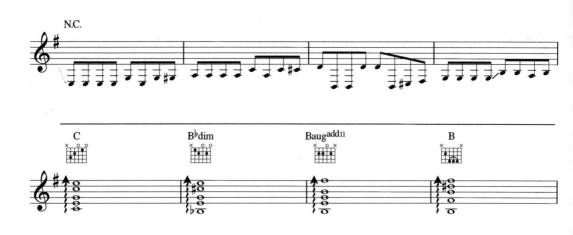

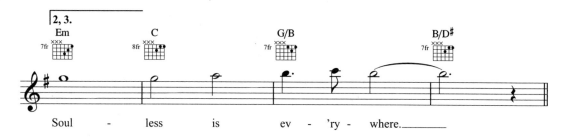

2, 3.

Soul - less is ev - 'ry - where._____

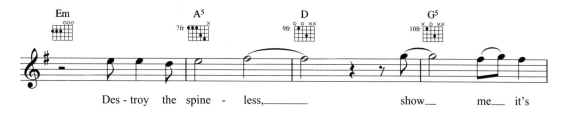

Des - troy the spine - less,_____ show__ me__ it's

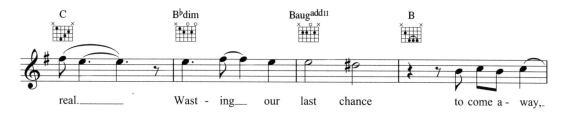

real._____ Wast - ing__ our last chance to come a - way,_

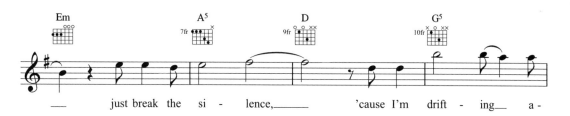

__ just break the si - lence,_____ 'cause I'm drift - ing__ a -

To Coda ⊕

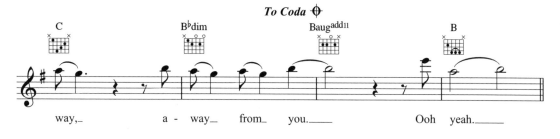

way,_ a - way_ from_ you.____ Ooh yeah.____

N.C.

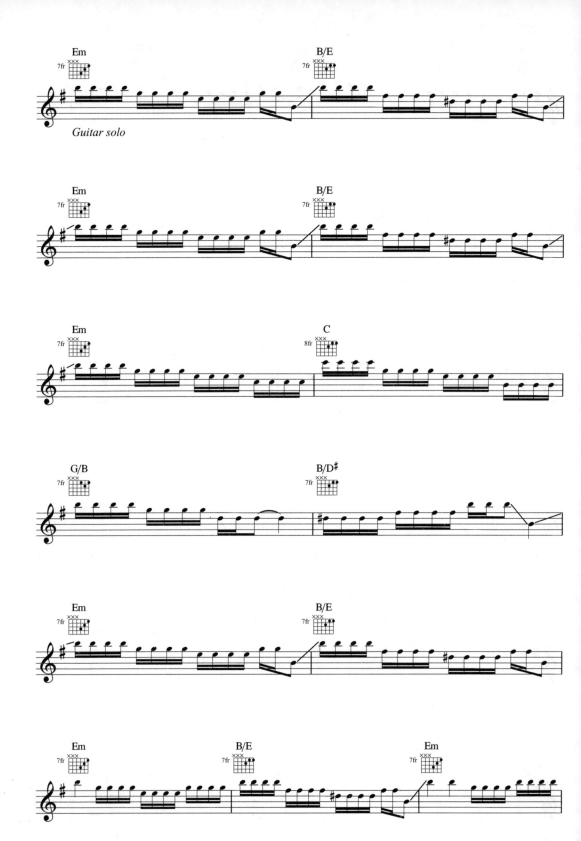

Guitar solo

NO ONE KNOWS

WORDS & MUSIC BY JOSH HOMME, NICK OLIVERI & MARK LANEGAN

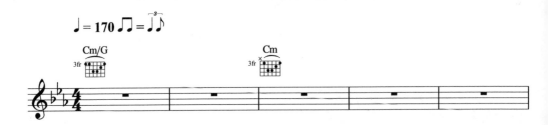

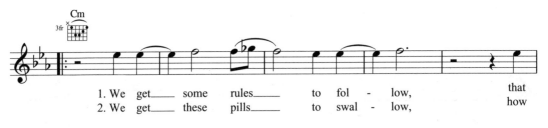

1. We get___ some rules___ to fol - low,   that
2. We get___ these pills___ to swal - low,   how

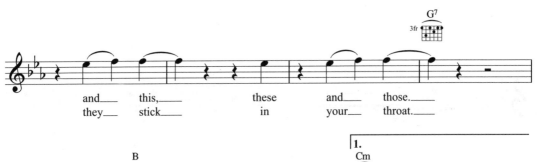

and___ this,___ these and___ those.___
they___ stick___ in your___ throat.___

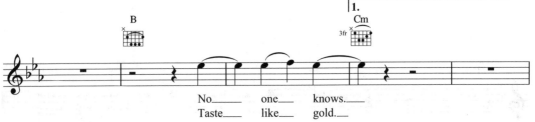

No___ one___ knows.___
Taste___ like___ gold.___

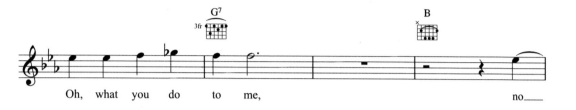

Oh, what you do to me, no___

___ one___ knows.___ I

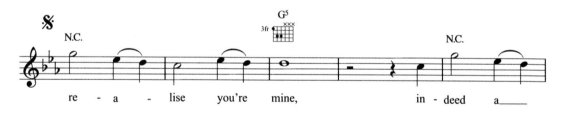

re - a - lise you're mine, in - deed a___

fool of___ mine. I re - a - lise you're

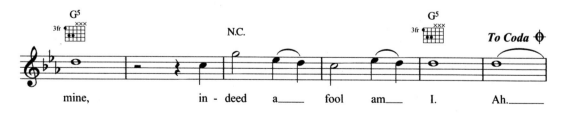

mine, in - deed a___ fool am___ I. Ah._____

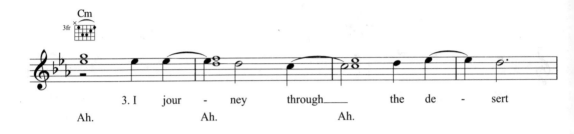

3. I jour - ney through___ the de - sert

Ah. Ah. Ah.

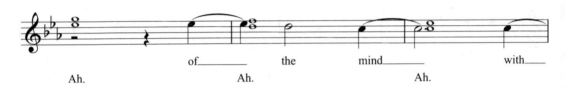

of___ the mind___ with___

Ah. Ah. Ah.

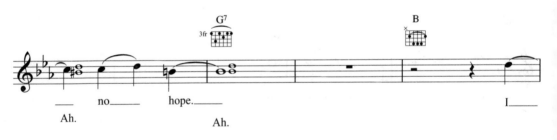

___ no___ hope.___ I___

Ah. Ah.

___ fol - low.___

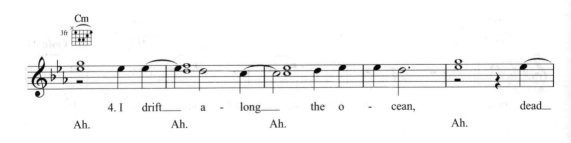

4. I drift___ a - long___ the o - cean, dead___

Ah. Ah. Ah. Ah.

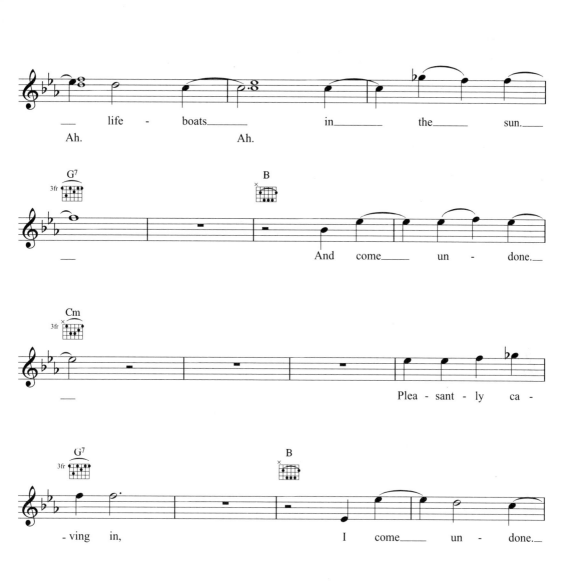

__ life - boats_____ in_____ the_____ sun.__

Ah.   Ah.

G⁷

B

__   And come_____ un - done.__

Cm

                                        Plea - sant - ly ca -

G⁷   B

- ving in,   I come_____ un - done.__

Cm

D.S. al Coda

__   I

⊕ Coda

C⁵   G⁵   A♭⁵ B⁵   G⁵   F⁵   G⁵

__

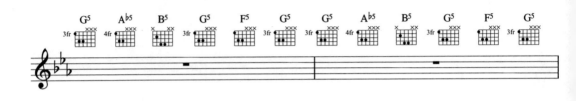

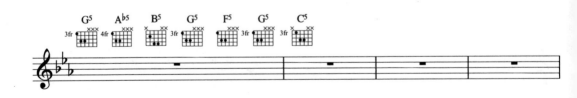

Guitar solo

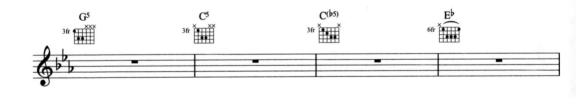

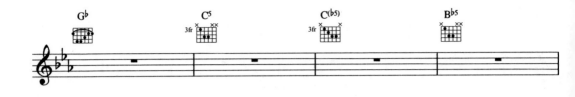

Hea - ven smiles____ a - bove____

____ me, what____ a gift____ here____ be - low.____

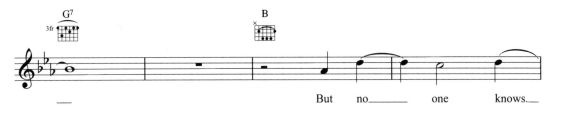

____ But no_____ one knows.____

____ (The) gift that you give

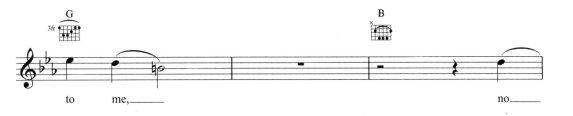

to me,____ no_____

____ one knows._____

PARTY HARD

WORDS & MUSIC BY ANDREW W. K.

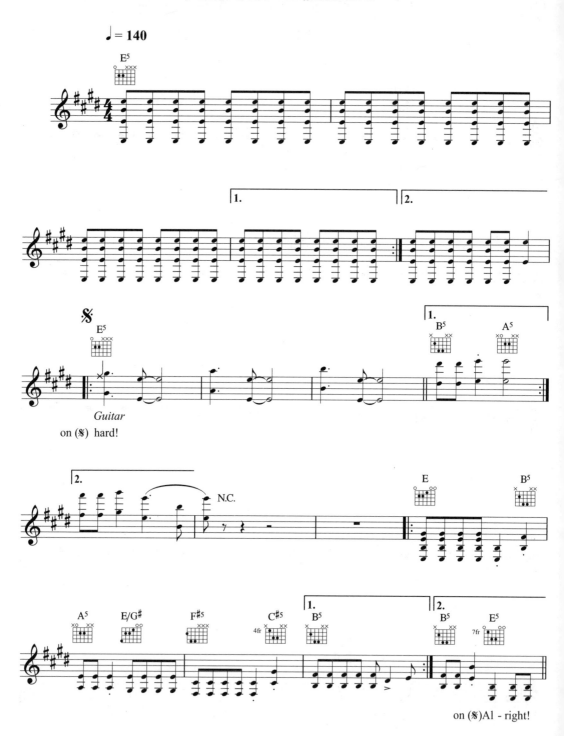

Guitar

on (𝄋) hard!

on (𝄋)Al - right!

1. You, you work all night and when you're work - in' you
2. You, you fight that fight and when you fight you

feel al - right.___ ╮
feel al - right.___ ╯ And when, when things start feel - in' al -

- right (Al - right) and ev - 'ry - thing is al - right. 'Cause

we will nev - er list - en to your rules. No!

We will nev - er do_____ what oth - ers do. No!

Know what we want___ if we get____ it from you.

Do what we like and we like what we do. So

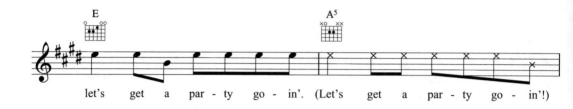

let's get a par - ty go - in'. (Let's get a par - ty go - in'!)

Now it's time to par - ty if we par - ty hard. (Par - ty hard!)

Let's get a par - ty go - in'. (Let's get a par - ty go - in'!)

When it's time to par - ty, we will al - ways par - ty hard._____
Par - ty

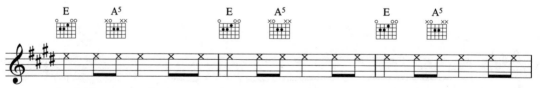

hard! Par - ty hard! Par - ty hard! Par - ty hard! Par - ty hard! Par - ty hard! Par - ty

Plug In Baby

Lyrics & Music by Matthew Bellamy

$\quad$ = 136

Guitar

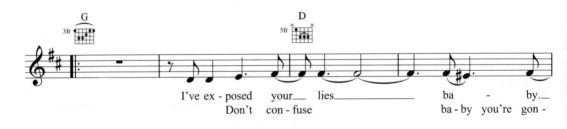

I've ex - posed your___ lies_____ ba - by.___
Don't con - fuse $\quad$ ba - by you're gon-

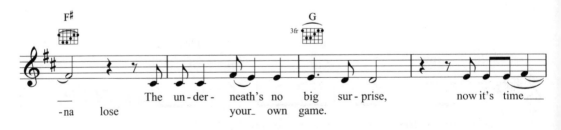

The un - der - neath's no big sur - prise, $\quad$ now it's time___
-na lose $\quad$ your_ own game.

for chan - ging_____ and cleans - ing ev -
Change_____ me_____ re - place the en-

- 'ry - thing to for - get your___ love._____
- vy - ing to for - get your___ love._____

And my plug - in ba - by_____

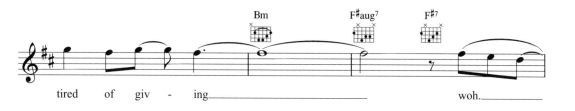

___ cru - ci - fies___ my e - ne - mies. When I'm

tired of giv - ing_____ woh._____

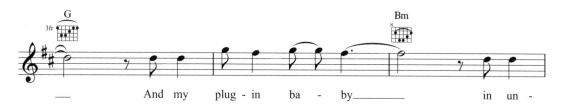

___ And my plug - in ba - by_____ in un -

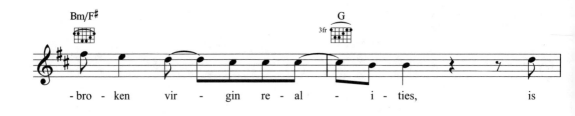

-bro - ken   vir - gin   re - al - - i - ties,   is

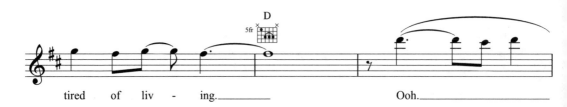

tired   of   liv - ing._____   Ooh._____

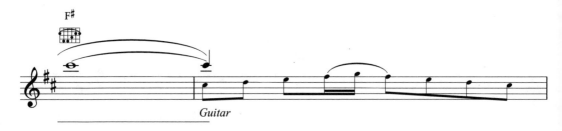

Guitar

1.

And I've seen_ your_ lov - ing,_____ mine is_

__ gone,_____ and I've been__ in__

trou - ble. Woo._____ Ahh._____

Guitar solo

THE OTHER SIDE

WORDS & MUSIC BY DAVID GRAY

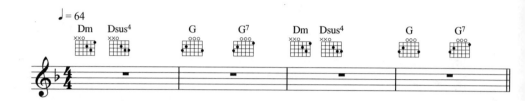

Meet me on the oth - er side.____

Meet me on the oth - er side.____

1° & 3° only

I'll see you on the oth - er____ side.____

See you on the oth - er side.____

1. Hon - ey, now if I'm hon - est   I still don't know what love__
2.   I ough - ta men - tion   was nev - er my__ in - ten -
% I know it would be out - ra - geous   to come on all__ cou - ra -

__ is.__   A - no - ther mi - rage folds__ in - to the haze__ of time__ re - called.__
- tion.__   To harm you or your kin__ are you so scared__ to look__ with - in.__
- geous.   And of - fer you my hand__ to pull you up__ on - to__ dry land.__

__ And now the flood - gates__ can - not hold,__ all my sor - row, all__ my rage,__
__ The ghosts are crawl - ing__ on our skin,__ we may race__ and we__ may run,__
__ When all I got__ is__ sink - ing sand,__ that trick ain't worth the time__ it buys,__

To Coda ⊕

__ a tear - drop falls__ on ev - 'ry__ page.__
__ we'll not un - do__ what has__ been__ done.__
__ I'm sick of hear - ing my__ own__ lies.__

Change the mo - ment when it's__ gone.__

D.S. al Coda

139

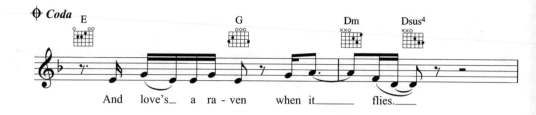

⊕ Coda

And love's a ra-ven when it flies.

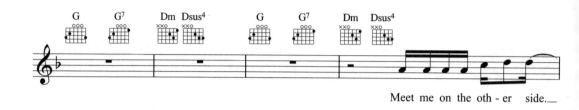

Meet me on the oth-er side.

Meet me on the oth-er side.

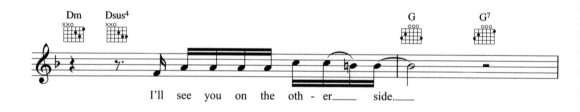

I'll see you on the oth-er side.

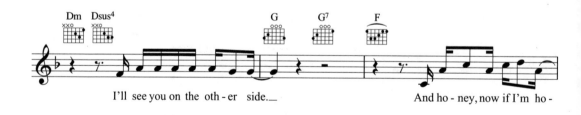

I'll see you on the oth-er side. And ho-ney, now if I'm ho-

-nest I still don't know what love is.

THE SCIENTIST

WORDS & MUSIC BY GUY BERRYMAN, JON BUCKLAND, WILL CHAMPION & CHRIS MARTIN

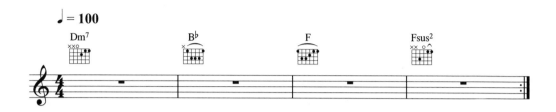

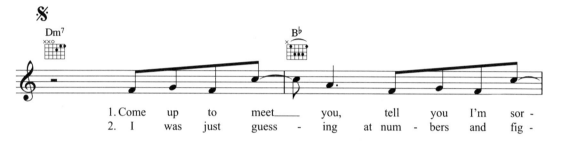

1. Come up to meet___ you, tell you I'm sor-
2. I was just guess - ing at num - bers and fig-

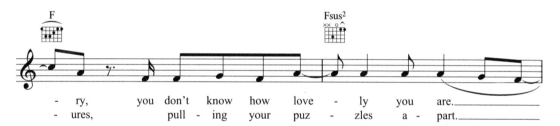

- ry, you don't know how love - ly you are.___
- ures, pull - ing your puz - zles a - part.___

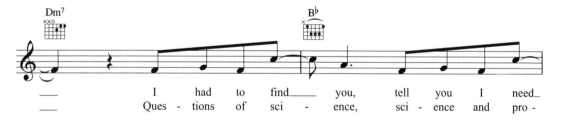

___ I had to find___ you, tell you I need_
___ Ques - tions of sci - ence, sci - ence and pro-

___ you, tell you I'll set___ you a - part.___
- gress do not speak as loud___ as my heart.___

said_ it would be this_ hard._

so_ hard._

Oh, take me back to the start._

I'm go - in' back to the start._

Ah ooh._____

SING

WORDS & MUSIC BY FRAN HEALY

1. Ba - by, you've been go - in' so cra - zy, late -
2. Cold - er, cry - ing ov - er your shoul - der, hold

- ly no - thin' seems to be go - in' right. So
 her, tell her ev - 'ry - thing's gon - na be fine. Sure -

 a - lone, oh, why d'ya have to get so a - lone? You're
- ly you've been go - ing to hur - ry. Hur -

 sore you've been wait - in' in the
- ry, 'cause no - one's go -

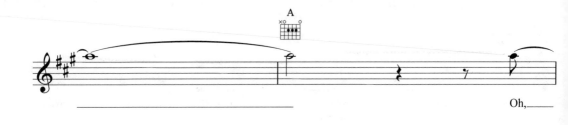

Oh,____

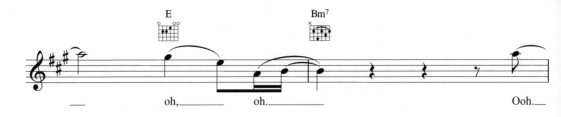

____ oh,_____ oh._____ Ooh.____

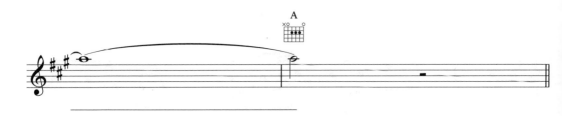

3. Ba - by, there's some - thing go - in' wrong to - day,____

but I say no - thing, no - thing, no -

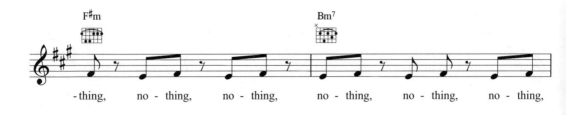

-thing, no - thing, no - thing, no - thing, no - thing, no - thing,

SOMETIMES

WORDS & MUSIC BY TIM WHEELER

Gtr. capo 7th fret

*Symbols in parentheses represent chord names with respect to capoed guitar
Symbols above represent actual sounding chords.

Guitar

1. Can't

sleep in your ci - ty, you're far a - way.___ Ci - gar-
4. (𝄋) I miss your warm___ skin be - side me at night.___ And

- ettes keep you skin - ny and your mind off the rain.___ Oh
I miss your flesh___ in the dawn light.___ Oh

some - times,___ some - times. Oh some - times,___
some - times,___ some - times. Oh some - times,___

some - times. 2. Feel - ings are dis - tant and I
some - times. 3 . Good morn - ing sweet___ thing you're

know guilt by name.___ Was the hard - est thing___ watch - ing
safe in my hands.___ I am no saint,___ but

you slip a - way.___ Oh some - times,___ some - times. Oh
I un - der - stand.___ Oh some - times,___ some - times. Oh

some - times,___ some - times. Some - times it
some - times,___ some - times.

hap - pens feel - ings die___ whole___ years are lost in the blink of an eye.___

To Coda ⊕

149

Some - times it

hap - pens   feel - ings die,_____ whole____ years are
- cline   in my   star____   sign,____   sea - son - al   ad -

lost   in   the   blink   of   an   eye._____   We   once had   it
- just - ments,   stars   re - a - lign.____   Some - times it

all   but e - vents con - spired____   oh   some - times.
hap - pens____ feel - ings die,____   oh   some - times,

1.

And Sa - turn's de -

2.

some - times.

151

STOP CRYING YOUR HEART OUT

WORDS & MUSIC BY NOEL GALLAGHER

♩ = 76

1. Hold__ up,__

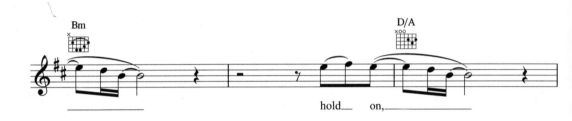

hold__ on,_____

don't be scared,_____ you'll nev - er change__ what's

been and__ gone.__ May your smile__

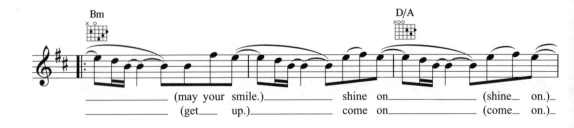

_____ (may your smile.)_____ shine on_____ (shine__ on.)__
_____ (get__ up.)_____ come on_____ (come__ on.)__

Don't be scared,_____ (don't be scared.)__
Why you scared?_____ (I'm not scared.)__

your des - ti - ny_____ may keep you__ on.__
you'll nev - er change__ what's been and__ gone.__

'Cause all of the stars__ have fa - ded a - way.__ Just try not to wor -

- ry, you'll see them some - day. Just take what you need__

__ and be on your way__ and stop cry - ing your heart__ out.__

2. Get up,__ __ out.__

(Ah.)_____

(Ah.)_____ 'Cause all of the stars_

_____ have fa - ded a - way.____ Just try not to wor -
_____ 2° were fa - ding a - way.____ Just try not to wor -

- ry, you'll see them some - day. Just take what you need_
- ry, you'll see us some - day. Just take what you need_

_____ and be on your way____ and stop cry - ing your heart_ out._____
_____ and be on your way____ and stop cry - ing your heart_ out._____

1.
Where all of those stars

2.
Stop_ cry - ing your heart_ out._

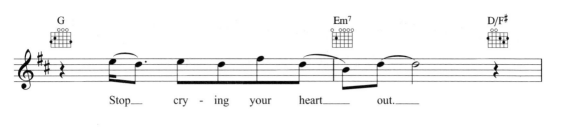

Stop___ cry - ing your heart_____ out.___

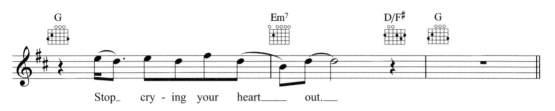

Stop_ cry - ing your heart_____ out.__

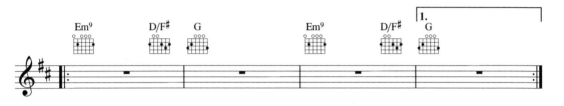

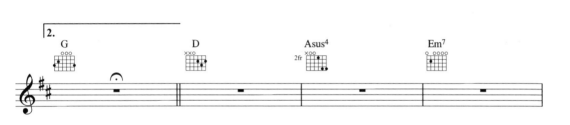

rit.

WHEREVER YOU WILL GO

WORDS & MUSIC BY ARRON KAMIN & ALEX BAND

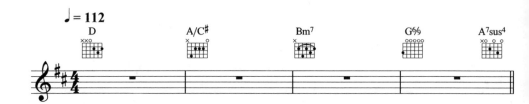

1. So late - ly, been won - d'rin', who will_ be there_
2. And may - be, I'll find_ out a way_ to make_

— to take_ my place._ When I'm_ gone, you'll need_ love
— it back_ some day._ To want_ you to guide_ you

to light_ the sha - dows on_ your face._ If a great_
through the_____ dark - est of_ your days._ If a great_

__ wave_ shall fall_____ it - 'll fall_ up - on_ us all._
__ wave_ shall fall_____ it - 'll fall_ up - on_ us all._

Then be - tween___ the sand_ and stone___ could you make___
Well then I hope there's___ some - one___ out there___ who can bring___

___ it on___ your own.⟩
___ me back_ to you.⟩ If I___ could then I___ would,

I'll go___ wher - ev - er___ you___ will go.___ Way up___ high

1.

or down_ low,_ I'll go___ wher - ev - er___ you___ will go.___

2.

-ev - er you___ will go. Run - a - way with my heart.___

___ Run - a - way with my hope._____

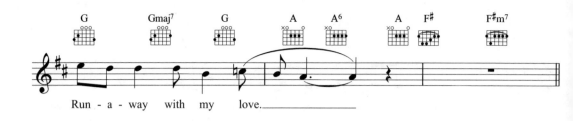

Run - a - way with my love._____

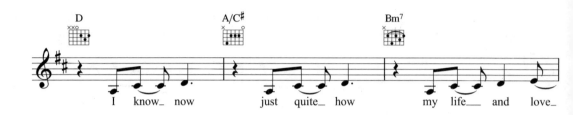

I know__ now just quite__ how my life____ and love__

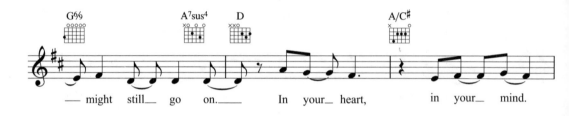

__ might still__ go on.____ In your__ heart, in your__ mind.

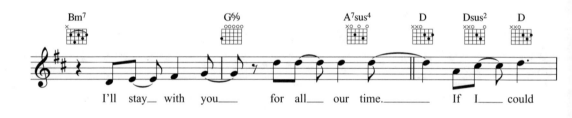

I'll stay__ with you____ for all__ our time._____ If I____ could

then I____ would, I'll go____ wher - ev - er__ you__ will go.

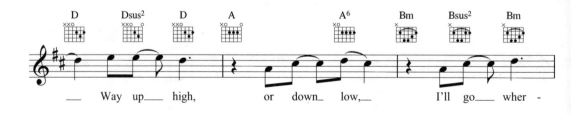

__ Way up__ high, or down__ low,__ I'll go__ wher -

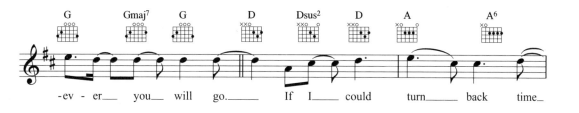

-ev - er___ you___ will go._____ If I___ could turn_____ back time_

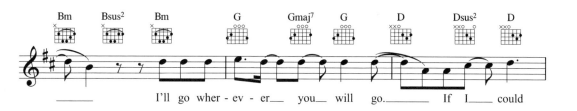

_____ I'll go wher - ev - er___ you___ will go._____ If I___ could

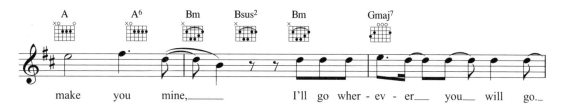

make you mine,_____ I'll go wher - ev - er___ you___ will go._

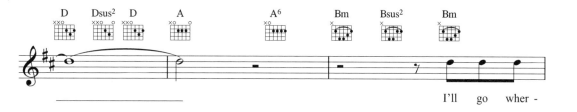

_____ I'll go wher -

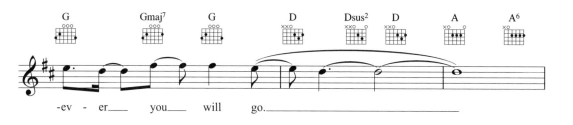

-ev - er___ you___ will go._____

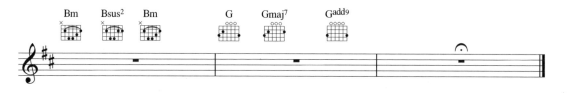